Marivaux

Pierre Carlet de Marivaux est né à Paris en 1688. Fils du directeur de la Monnaie de Riom, il monte à Paris, mais fait faillite lors de la banqueroute de Law. Il se lance alors dans l'écriture et après deux romans d'un réalisme saisissant, décide de se consacrer au théâtre.

Il écrit ainsi pour la Comédie-Française et la Comédie-Italienne une quarantaine de pièces qui mettent en scène des intrigues légères, contrefaisant habilement les conversations de salon de l'époque. Parmi ses chefs-d'œuvre, on compte *La Surprise de l'amour* (1722), *La Double Inconstance* (1723), *Le Jeu de l'amour et du hasard* (1730) ou encore *Les Fausses Confidences* (1737).

Loin de se complaire dans le « marivaudage », comme le lui ont reproché certains de ses contemporains, Marivaux est un observateur lucide des travers sociaux de la société, qu'il se plaît à traduire dans la relation maître-serviteur de ses pièces. Il s'éteint à Paris en 1763.

L'ÎLE DES ESCLAVES
LA COLONIE

ALAIN-FOURNIER
- *Le Grand Meaulnes*

ANTHOLOGIE
- *Des troubadours à Apollinaire*

APOLLINAIRE
- *Alcools* suivis de *Calligrammes*

BALZAC
- *Le Colonel Chabert*

BAUDELAIRE
- *Les Fleurs du mal*

LYMAN FRANK BAUM
- *Le Magicien d'Oz*

BEAUMARCHAIS
- *Le Barbier de Séville*
- *Le Mariage de Figaro*

BRONTË
- *Jane Eyre*

CARROLL
- *Alice au pays des merveilles*

CORNEILLE
- *L'Illusion comique*
- *Le Cid*

DAUDET
- *Lettres de mon moulin*

DIDEROT
- *Supplément au Voyage de Bougainville*
- *La Religieuse*

DUMAS
- *Les Borgia*
- *Les Trois Mousquetaires*

FITZGERALD
- *L'étrange histoire de Benjamin Button*
- *Gatsby*

FLAUBERT
- *Madame Bovary*
- *Trois Contes*

GRIMM
- *Raiponce et autres contes*
- *Blanche-Neige et autres contes*

HUGO
- *Claude Gueux*
- *L'Homme qui rit*
- *Le Dernier Jour d'un condamné*
- *Les Misérables*
- *Lucrèce Borgia*
- *Ruy Blas*

LA BRUYÈRE
- *De la cour Des grands* suivis de *Du souverain ou de la république*

LACLOS
- *Amour, liaisons et libertinage*

LA FAYETTE
- *La Princesse de Montpensier*

LA FONTAINE
- *Fables* (choix de fables)
- *Fables* livres I à VI

MARIVAUX
- *L'Île des esclaves* suivie de *La Colonie*
- *Le Jeu de l'amour et du hasard*

MAUPASSANT
- *Bel Ami*
- *Boule de Suif* suivie de *Mademoiselle Fifi*
- *Le Horla et autres nouvelles fantastiques*
- *Pierre et Jean*

MÉRIMÉE
- *Carmen*
- *La Vénus d'Ille* suivie de *Djoumâne* et *Les sorcières espagnoles*

MOLIÈRE
- *Dom Juan*
- *L'Avare*
- *L'École des femmes*
- *Le Médecin malgré lui*
- *Le Médecin volant* suivi de *L'amour médecin*
- *Le Sicilien ou l'amour peintre*
- *Les Fourberies de Scapin*

MUSSET
- *On ne badine pas avec l'amour*
- *La Confession d'un enfant du siècle*

PERGAUD
- *La Guerre des boutons*

PERRAULT
- *Le petit chaperon rouge et autres contes*

RACINE
- *Phèdre*

RIMBAUD
- *Illuminations*

ROSTAND
- *Cyrano de Bergerac*

ROUSSEAU
- *Les Confessions* livres I à IV

SHAKESPEARE
- *Roméo et Juliette*

TOLSTOÏ
- *Anna Karénine*

VERLAINE
- *Jadis et naguère*

VOLTAIRE
- *Candide*
- *L'Ingénu*
- *Zadig* suivi de *Micromégas*

ZOLA
- *Thérèse Raquin*

STEFAN ZWEIG
- *Lettre d'une inconnue* suivie de *Le Joueur d'échecs*

MARIVAUX

L'ÎLE DES ESCLAVES

suivie de

LA COLONIE

Préface de Bruno Doucey

Pocket, une marque d'Univers Poche,
est un éditeur qui s'engage pour la
préservation de son environnement et
qui utilise du papier fabriqué à partir
de bois provenant de forêts gérées de
manière responsable.

ISBN : 978-2-266-16109-1

PRÉFACE

Pierre Carlet de Chamblain de Marivaux (1688-1763) est l'auteur de romans, de chroniques journalistiques et d'une quarantaine de pièces de théâtre dont le thème principal est l'amour. Dès sa première pièce importante, *Arlequin poli par l'amour* (1720), le dramaturge s'est attaché à en peindre les mille et un visages : le désir, l'éveil de la passion, l'aveu, la jalousie, le jeu de la séduction, l'infidélité, le mensonge ou la mauvaise foi sont, sous sa plume, l'objet de subtiles analyses. Ce sont elles qui assurent, depuis plus de deux siècles, la notoriété de ces comédies inoubliables que sont *Le Jeu de l'amour et du hasard* et *La Double Inconstance.*

Trois pièces échappent pourtant à cette thématique, offrant au lecteur un ensemble distinct et cohérent : *L'Île des esclaves* (1725), *L'Île de la raison* (1727) et *La Colonie* (1750). Ces pièces, régulièrement mises en scène, constituent ce que l'on nomme les « comédies sociales » de Marivaux. Ce dernier n'y abandonne pas le thème de l'amour, mais accorde plus de poids aux questions politiques, philosophiques ou morales qui le préoccupent. Parmi elles, l'injustice, l'inégalité entre les hommes, le sort fait aux domestiques, l'émancipation des femmes ou le mariage. Ces trois pièces ont pour cadre une île sur laquelle les protagonistes ont échoué ou se sont réfugiés. Toutes remettent en cause la hiérarchie sociale ; toutes débutent par un profond bouleversement des valeurs.

La situation mise en scène avec *L'Île des esclaves* ne manque pas d'audace. Voyez plutôt : des maîtres et leurs serviteurs, victimes d'un naufrage, échouent sur une île peuplée d'anciens esclaves. Trivelin, qui gouverne cette petite république, contraint les arrivants d'échanger leurs noms, leurs costumes et leur condition : les maîtres, Euphrosine et Iphicrate, prennent ainsi la place de Cléanthis et d'Arlequin, leurs anciens esclaves. Quel est le but de la manœuvre ? Permettre aux nobles, ainsi mis à l'épreuve, de recevoir un « cours d'humanité », de suivre une cure destinée à les guérir de leur orgueil et de leur cruauté. Le stratagème se révèle efficace : moqués par leurs anciens esclaves, Iphicrate et Euphrosine reconnaissent progressivement leurs torts et décident d'adopter un autre comportement. De leur côté, Arlequin et Cléanthis, d'abord animés par un désir de vengeance, prennent pitié de leurs maîtres déchus et leur pardonnent. Au terme de l'épreuve, chacun retrouve son nom et sa condition, mais les cœurs ont changé. Trivelin a tout lieu d'être satisfait : les maîtres sont devenus « humains, raisonnables et généreux » ; les serviteurs ont surmonté leur ressentiment. Les naufragés sont libres de repartir.

Des préoccupations analogues sont au cœur de *L'Île de la raison* et de *La Colonie*. Dans la première de ces pièces, des Européens échoués sur une île découvrent qu'ils ont rapetissé, qu'ils sont devenus minuscules. Que faire pour recouvrer sa taille ? Eh bien, grandir en sagesse, se montrer humain, raisonnable et vertueux, faire preuve de grandeur d'âme. Certains y parviendront ; d'autres en seront incapables.

Deux ans après avoir écrit cette pièce, Marivaux rédige une autre comédie sociale qu'il intitule *La Nouvelle Colonie ou la Ligue des femmes.* Cette pièce en trois actes, aujourd'hui perdue (nous ne la connaissons que par le compte rendu qu'en donna le *Mercure*), fut un échec. Elle sera reprise des années plus tard, en 1750. Le dramaturge en simplifie alors le titre et en réduit le texte qui ne comporte plus qu'un seul acte. Pour autant, *La Colonie* ne sera jamais représentée de son vivant.

Le contenu de la pièce explique peut-être ces déconvenues. Les personnages qu'elle met en scène ne sont pas des naufragés mais des exilés qui ont fui leur patrie et qui se retrouvent sur une île dépourvue de gouvernement. Tandis que les hommes tentent de légiférer, les femmes expriment leur volonté d'indépendance. Elles prêchent l'insoumission et l'abolition du mariage, revendiquent le droit d'exercer les mêmes fonctions que les hommes, exigent de prendre part aux décisions politiques de l'île. Elles sont prêtes à tout pour faire entendre leur voix et sortir de « l'humilité ridicule » qui leur est imposée « depuis le commencement du monde ». S'il le faut, elles feront même la grève de l'amour ! Parviendront-elles à se faire entendre ? On aimerait le croire. Malheureusement, un habile stratagème, conçu par le philosophe Hermocrate, met un terme à leur révolte : les hommes annoncent aux insurgées une attaque imminente des sauvages qui vivent dans l'île. Les femmes effrayées renoncent alors à prendre les armes et se placent docilement sous leur protection. Tout rentre dans l'ordre.

Curieuse manière de prôner la révolution que d'orchestrer, au terme de chaque comédie, un retour à l'ordre établi ! Que le lecteur du XXIe siècle ne se méprenne pas sur les intentions de Marivaux. Lorsque ce dernier rédige *L'Île des esclaves* et *La Colonie,* nul ne sait encore que le siècle des Lumières s'achèvera sur l'abolition des privilèges et les prémices des valeurs républicaines : liberté, égalité, fraternité. Ne nous en déplaise, Marivaux n'est pas un écrivain révolutionnaire ; il ne prône pas l'insurrection, ne cherche pas à abolir la hiérarchie sociale. Au terme de l'épreuve, Arlequin retrouve son statut de domestique et les femmes n'ont pas obtenu le droit de vote. L'ordre, fortement ébranlé, est finalement restauré. Cela ne fait pas pour autant de l'écrivain un affreux réactionnaire. Croit-on un instant que les femmes resteront longtemps cantonnées aux soins du ménage ? qu'Arlequin continuera à recevoir des coups sans broncher ? En vérité, Marivaux connaît trop le pouvoir de la censure et les quolibets du public pour ne pas faire preuve de modération. Qui ne veut pas casser doit apprendre à plier...

Une lecture attentive de *L'Île des esclaves* démontre que le retour à la situation initiale n'est qu'apparent. L'attitude des personnages à la fin de la pièce n'est nullement comparable à celle que laissaient entrevoir les scènes d'exposition. Au maître qui donnait jadis du bâton (étymologiquement, Iphicrate est « celui qui règne par la force »), répond désormais le maître raisonnable, humanisé par l'épreuve qu'il a subie. À la maîtresse vaniteuse, à l'aristocrate « vaine, minaudière et coquette » qu'était autrefois Euphrosine se substitue une femme sensible, capable de tendresse envers sa suivante. La barbarie et les rapports de domination ont laissé la place à la compassion et à la bienveillance.

Le divertissement chanté et dansé, qui succède au dénouement de la pièce, témoigne de cette évolution. Une première strophe aux paroles audacieuses laisse entendre que l'inégalité sociale ne repose sur aucune valeur, n'est détentrice d'aucune vérité. La naissance n'est pas de droit divin :

Quand un homme est fier de son rang
Et qu'il me vante sa naissance,
Je ris de notre impertinence [1],
Qui de ce nain fait un géant.

Les vers suivants en appellent à une réforme des comportements et des cœurs. Le dramaturge pense qu'il faut éveiller les consciences, susciter la fraternité, assurer la paix sociale par la générosité, l'entraide et la vertu. La véritable noblesse est celle du cœur. La révolution que prône *L'Île des esclaves* est morale sans être politique.

1. *Notre impertinence* : notre manque de bon sens, notre bêtise.

Comme la plupart des pièces de Marivaux, *L'Île des esclaves* et *La Colonie* mettent en scène des personnages qui se cachent sous des apparences trompeuses. Les uns se déguisent ou endossent le costume d'un proche, d'autres dissimulent leurs intentions et mentent allégrement ; mais tous ont un point commun : ils avancent masqués et ne sont pas ce qu'ils paraissent être.

Dès le début de la pièce, les naufragés se voient contraints d'échanger leurs rôles. Par la suite, Arlequin et Cléanthis improvisent une courte représentation théâtrale afin d'imiter, de parodier leurs anciens maîtres. À travers cette improvisation bouffonne, véritable scène de théâtre dans le théâtre, Marivaux laisse entendre que la vie sociale est une comédie dans laquelle chaque être, dissimulé derrière un masque, joue le rôle qui lui est assigné sans dévoiler son véritable visage. Comme Calderón, Corneille ou Shakespeare, l'auteur du *Jeu de l'amour et du hasard* voit dans la vie un théâtre dont les hommes sont les acteurs. Chacun d'eux y est souvent dupe des autres et de lui-même.

L'idéal auquel aspire le dramaturge est finalement celui dont rêvent les adolescents et la plupart des gens qui s'aiment : celui d'un monde vrai, où tout est confiance, transparence et sincérité. Dans l'essai intitulé *Le Cabinet du philosophe*, Marivaux distingue les « hommes faux » de ceux qu'il nomme précisément les « hommes vrais ». À l'image du philosophe Hermocrate ou de la coquette dont Cléanthis brosse le portrait dans la scène 3 de *L'Île des esclaves,* les premiers sont masqués et ne dévoilent jamais « leur âme ». Les seconds ne sont « ni moins méchants, ni moins intéressés, ni moins fous » que les autres hommes : ils acceptent simplement, lorsqu'ils vivent en société, de montrer « leur âme à découvert ». Tel Arlequin à la fin de l'épreuve, ils sont authentiques et sincères. En ce domaine, le théâtre de Marivaux nous enseigne, avec des mots simples et des situations parfois cocasses, que nous avons besoin des autres pour être nous-mêmes. C'est la raison pour laquelle nous devons tendre à l'égalité des conditions et des sexes.

La leçon de ce théâtre est claire : les pays qui ne tendent pas à l'égalité entre les hommes ne sont pas des pays où les êtres sont libres. Les sociétés qui refusent aux femmes le droit de voter, de se réunir, d'exercer les mêmes fonctions que les hommes, d'aimer comme elles le désirent, ne sont pas des sociétés heureuses. Les individus qui sont incapables de se mettre à la place des autres sont condamnés à être prisonniers d'eux-mêmes.

Curieusement, les personnages de Marivaux ont besoin d'un médiateur et d'une île pour parvenir à ces relations égalitaires et authentiques.

Dans *L'Île des esclaves,* Trivelin joue un rôle comparable à celui des médiateurs que l'on envoie aujourd'hui dans les banlieues ou les entreprises en grève, pour faciliter la résolution des conflits. Il évite que les plus faibles ne subissent la loi des plus forts, que la violence engendre la violence, que l'épreuve ne s'achève par un drame. Il permet surtout aux êtres qui veulent en découdre d'entrer dans un espace de négociation.

L'île est le cadre privilégié de cette médiation.

Celle dont il est question dans *L'Île des esclaves* ou *La Colonie* n'est l'objet d'aucun repérage géographique, d'aucune localisation. Ni les didascalies ni les propos des personnages ne permettent de la situer sur la carte du monde ; elle est une *utopie*. Ce terme, qui désigne à la fois *un endroit qui n'existe nulle part* et un genre littéraire, n'était pas étranger aux préoccupations de Marivaux. Le dramaturge sait que le mot « utopie », apparu pour la première fois en 1516 sous la plume du penseur anglais Thomas More, évoque une société idéale, un monde où les hommes vivent en harmonie. Avant d'écrire *L'Île des esclaves,* Marivaux a lu la description de « l'abbaye de Thélème » dans le *Gargantua* (1534) de Rabelais ; il connaît le royaume imaginaire de Salente décrit par Fénelon dans *Les Aventures de Télémaque* (1699) ; lui-même rédigea sa première utopie dans le roman de jeunesse intitulé *Les Effets surprenants de la sympathie* (1712-1713).

L'île sur laquelle se déroule l'action de ses pièces est l'espace clos d'une expérimentation sociale, un lieu dans lequel l'individu est bonifié par le regard de l'autre. Car c'est ainsi, et tous les amoureux le savent : rien n'est plus utile qu'une île pour se sauver d'un naufrage.

Bruno DOUCEY

L'ÎLE DES ESCLAVES

L'Île des Esclaves a été représentée pour la première fois le 5 mars 1725.

ACTEURS

IPHICRATE.
ARLEQUIN.
EUPHROSINE.
CLÉANTHIS.
TRIVELIN.
Des habitants de l'île.

La scène est dans l'île des Esclaves.
Le théâtre représente une mer et des rochers d'un côté, et de l'autre quelques arbres et des maisons.

SCÈNE 1

Iphicrate s'avance tristement sur le théâtre avec *Arlequin*.

IPHICRATE, *après avoir soupiré.*

Arlequin !

ARLEQUIN, *avec une bouteille de vin qu'il a à sa ceinture.*

Mon patron !

IPHICRATE

Que deviendrons-nous dans cette île ?

ARLEQUIN

Nous deviendrons maigres, étiques [1], et puis morts de faim ; voilà mon sentiment et notre histoire.

IPHICRATE

Nous sommes seuls échappés du naufrage ; tous nos amis ont péri, et j'envie maintenant leur sort.

1. Très maigres.

ARLEQUIN

Hélas ! ils sont noyés dans la mer, et nous avons la même commodité [1].

IPHICRATE

Dis-moi ; quand notre vaisseau s'est brisé contre le rocher, quelques-uns des nôtres ont eu le temps de se jeter dans la chaloupe ; il est vrai que les vagues l'ont enveloppée : je ne sais ce qu'elle est devenue ; mais peut-être auront-ils eu le bonheur d'aborder en quelque endroit de l'île et je suis d'avis que nous les cherchions.

ARLEQUIN

Cherchons, il n'y a point de mal à cela ; mais reposons-nous auparavant pour boire un petit coup d'eau-de-vie. J'ai sauvé ma pauvre bouteille, la voilà ; j'en boirai les deux tiers, comme de raison, et puis je vous donnerai le reste.

IPHICRATE

Eh ! ne perdons point de temps ; suis-moi : ne négligeons rien pour nous tirer d'ici. Si je ne me sauve, je suis perdu ; je ne reverrai jamais Athènes, car nous sommes dans l'île des Esclaves.

ARLEQUIN

Oh ! oh ! qu'est-ce que c'est que cette race-là ?

1. Le même sort.

IPHICRATE

Ce sont des esclaves de la Grèce révoltés contre leurs maîtres, et qui depuis cent ans sont venus s'établir dans une île, et je crois que c'est ici : tiens, voici sans doute quelques-unes de leurs cases ; et leur coutume, mon cher Arlequin, est de tuer tous les maîtres qu'ils rencontrent, ou de les jeter dans l'esclavage.

ARLEQUIN

Eh ! chaque pays a sa coutume ; ils tuent les maîtres, à la bonne heure ; je l'ai entendu dire aussi ; mais on dit qu'ils ne font rien aux esclaves comme moi.

IPHICRATE

Cela est vrai.

ARLEQUIN

Eh ! encore vit-on.

IPHICRATE

Mais je suis en danger de perdre la liberté et peut-être la vie : Arlequin, cela ne suffit-il pas pour me plaindre ?

ARLEQUIN, *prenant sa bouteille pour boire.*

Ah ! je vous plains de tout mon cœur, cela est juste.

IPHICRATE

Suis-moi donc.

ARLEQUIN *siffle.*

Hu ! hu ! hu !

IPHICRATE

Comment donc ! que veux-tu dire ?

ARLEQUIN, *distrait, chante.*

Tala ta lara.

IPHICRATE

Parle donc ; as-tu perdu l'esprit ? à quoi penses-tu ?

ARLEQUIN, *riant.*

Ah ! ah ! ah ! Monsieur Iphicrate, la drôle d'aventure ! je vous plains, par ma foi ; mais je ne saurais m'empêcher d'en rire.

IPHICRATE, *à part les premiers mots.*

Le coquin abuse de ma situation : j'ai mal fait de lui dire où nous sommes. Arlequin, ta gaieté ne vient pas à propos ; marchons de ce côté.

ARLEQUIN

J'ai les jambes si engourdies !...

IPHICRATE

Avançons, je t'en prie.

ARLEQUIN

Je t'en prie, je t'en prie ; comme vous êtes civil et poli ; c'est l'air du pays qui fait cela.

IPHICRATE

Allons, hâtons-nous, faisons seulement une demi-lieue sur la côte pour chercher notre chaloupe, que nous trouverons peut-être avec une partie de nos gens ; et, en ce cas-là, nous nous rembarquerons avec eux.

ARLEQUIN, *en badinant.*

Badin ! comme vous tournez cela ! *(Il chante.)*

L'embarquement est divin
Quand on vogue, vogue, vogue,
L'embarquement est divin,
Quand on vogue avec Catin[1].

IPHICRATE, *retenant sa colère.*

Mais je ne te comprends point, mon cher Arlequin.

ARLEQUIN

Mon cher patron, vos compliments me charment ; vous avez coutume de m'en faire à coups de gourdin

1. Abréviation de Catherine ; prostituée.

qui ne valent pas ceux-là ; et le gourdin est dans la chaloupe.

IPHICRATE

Eh ! ne sais-tu pas que je t'aime ?

ARLEQUIN

Oui ; mais les marques de votre amitié tombent toujours sur mes épaules, et cela est mal placé. Ainsi, tenez, pour ce qui est de nos gens, que le ciel les bénisse ! s'ils sont morts, en voilà pour longtemps ; s'ils sont en vie, cela se passera, et je m'en goberge [1] !

IPHICRATE, *un peu ému.*

Mais j'ai besoin d'eux, moi.

ARLEQUIN, *indifféremment.*

Oh ! cela se peut bien, chacun a ses affaires : que [2] je ne vous dérange pas !

IPHICRATE

Esclave insolent !

ARLEQUIN, *riant.*

Ah ! ah ! vous parlez la langue d'Athènes ; mauvais jargon que je n'entends plus.

1. Je m'en moque.
2. Pourvu que.

IPHICRATE

Méconnais-tu ton maître, et n'es-tu plus mon esclave ?

ARLEQUIN, *se reculant d'un air sérieux.*

Je l'ai été, je le confesse à ta honte ; mais va, je te le pardonne ; les hommes ne valent rien. Dans le pays d'Athènes, j'étais ton esclave ; tu me traitais comme un pauvre animal, et tu disais que cela était juste, parce que tu étais le plus fort. Eh bien ! Iphicrate, tu vas trouver ici plus fort que toi ; on va te faire esclave à ton tour ; on te dira aussi que cela est juste, et nous verrons ce que tu penseras de cette justice-là ; tu m'en diras ton sentiment, je t'attends là. Quand tu auras souffert, tu seras plus raisonnable ; tu sauras mieux ce qu'il est permis de faire souffrir aux autres. Tout en irait mieux dans le monde, si ceux qui te ressemblent recevaient la même leçon que toi. Adieu, mon ami ; je vais trouver mes camarades et tes maîtres.

Il s'éloigne.

IPHICRATE, *au désespoir, courant après lui l'épée à la main.*

Juste ciel ! peut-on être plus malheureux et plus outragé que je le suis ? Misérable ! tu ne mérites pas de vivre.

ARLEQUIN

Doucement ; tes forces sont bien diminuées, car je ne t'obéis plus, prends-y garde.

SCÈNE 2

Trivelin, avec cinq ou six insulaires, arrive conduisant une dame et la suivante, et ils accourent à Iphicrate qu'ils voient l'épée à la main.

TRIVELIN, *faisant saisir et désarmer Iphicrate par ses gens.*

Arrêtez, que voulez-vous faire ?

IPHICRATE

Punir l'insolence de mon esclave.

TRIVELIN

Votre esclave ! vous vous trompez, et l'on vous apprendra à corriger vos termes. *(Il prend l'épée d'Iphicrate et la donne à Arlequin.)* Prenez cette épée, mon camarade ; elle est à vous.

ARLEQUIN

Que le ciel vous tienne gaillard, brave camarade que vous êtes !

TRIVELIN

Comment vous appelez-vous ?

ARLEQUIN

Est-ce mon nom que vous demandez ?

TRIVELIN

Oui vraiment.

ARLEQUIN

Je n'en ai point, mon camarade.

TRIVELIN

Quoi donc, vous n'en avez pas ?

ARLEQUIN

Non, mon camarade ; je n'ai que des sobriquets qu'il m'a donnés ; il m'appelle quelquefois Arlequin, quelquefois Hé.

TRIVELIN

Hé ! le terme est sans façon ; je reconnais ces Messieurs à de pareilles licences. Et lui, comment s'appelle-t-il ?

ARLEQUIN

Oh, diantre ! il s'appelle par un nom, lui ; c'est le seigneur Iphicrate.

TRIVELIN

Eh bien ! changez de nom à présent ; soyez seigneur Iphicrate à votre tour ; et vous, Iphicrate, appelez-vous Arlequin, ou bien Hé.

ARLEQUIN, *sautant de joie, à son maître.*

Oh ! oh ! que nous allons rire, seigneur Hé !

TRIVELIN, *à Arlequin.*

Souvenez-vous en prenant son nom, mon cher ami, qu'on vous le donne bien moins pour réjouir votre vanité, que pour le corriger de son orgueil.

ARLEQUIN

Oui, oui, corrigeons, corrigeons !

IPHICRATE, *regardant Arlequin.*

Maraud !

ARLEQUIN

Parlez donc, mon bon ami ; voilà encore une licence qui lui prend ; cela est-il du jeu ?

TRIVELIN, *à Arlequin.*

Dans ce moment-ci, il peut vous dire tout ce qu'il voudra. *(À Iphicrate.)* Arlequin, votre aventure vous afflige, et vous êtes outré contre Iphicrate et contre nous. Ne vous gênez point, soulagez-vous par l'emportement le plus vif ; traitez-le de misérable, et nous aussi ; tout vous est permis à présent ; mais, ce moment-ci passé, n'oubliez pas que vous êtes Arlequin, que voici Iphicrate, et que vous êtes auprès de lui ce qu'il était auprès de vous ; ce sont là nos lois, et ma charge dans la république est de les faire observer en ce canton-ci.

ARLEQUIN

Ah ! la belle charge !

IPHICRATE

Moi, l'esclave de ce misérable !

TRIVELIN

Il a bien été le vôtre.

ARLEQUIN

Hélas ! il n'a qu'à être bien obéissant, j'aurai mille bontés pour lui.

IPHICRATE

Vous me donnez la liberté de lui dire ce qu'il me plaira ; ce n'est pas assez : qu'on m'accorde encore un bâton.

ARLEQUIN

Camarade, il demande à parler à mon dos : je le mets sous la protection de la république, au moins.

TRIVELIN

Ne craignez rien.

CLÉANTHIS, *à Trivelin.*

Monsieur, je suis esclave aussi, moi, et du même vaisseau ; ne m'oubliez pas, s'il vous plaît.

TRIVELIN

Non, ma belle enfant ; j'ai bien connu votre condition à votre habit, et j'allais vous parler de ce qui vous regarde, quand je l'ai vu l'épée à la main. Laissez-moi achever ce que j'avais à dire. Arlequin !

ARLEQUIN, *croyant qu'on l'appelle.*

Eh !... À propos, je m'appelle Iphicrate.

TRIVELIN, *continuant.*

Tâchez de vous calmer ; vous savez qui nous sommes, sans doute ?

ARLEQUIN

Oh ! morbleu ! d'aimables gens.

CLÉANTHIS

Et raisonnables.

TRIVELIN

Ne m'interrompez point, mes enfants. Je pense donc que vous savez qui nous sommes. Quand nos pères, irrités de la cruauté de leurs maîtres, quittèrent la Grèce et vinrent s'établir ici dans le ressentiment des outrages qu'ils avaient reçus de leurs patrons, la première loi qu'ils y firent fut d'ôter la vie à tous les maîtres que le hasard ou le naufrage conduirait dans leur île, et conséquemment de rendre la liberté à tous les esclaves ; la vengeance avait dicté cette loi ; vingt ans après la raison l'abolit, et en dicta une plus douce. Nous ne nous vengeons plus de vous, nous vous corrigeons ; ce n'est plus votre vie que nous poursuivons, c'est la barbarie de vos cœurs que nous voulons détruire ; nous vous jetons dans l'esclavage pour vous rendre sensibles aux maux qu'on y éprouve ; nous vous humilions, afin que, nous trouvant superbes [1], vous vous reprochiez de l'avoir été. Votre esclavage, ou plutôt votre cours d'humanité, dure trois ans, au bout desquels on vous renvoie si vos maîtres sont contents de vos progrès ; et, si vous ne devenez pas meilleurs, nous vous retenons par charité pour les nouveaux malheureux que vous iriez faire encore ailleurs, et, par bonté pour vous, nous vous marions avec une de nos citoyennes. Ce sont là nos lois à cet égard ; mettez à profit leur rigueur salutaire, remerciez le sort qui vous conduit ici ; il vous remet en nos mains durs, injustes et superbes ; vous voilà en mauvais état, nous entreprenons de vous guérir ; vous êtes moins nos esclaves que nos malades, et nous ne prenons que trois ans pour vous rendre sains, c'est-à-dire humains, raisonnables et généreux pour toute votre vie.

1. Orgueilleux.

ARLEQUIN

Et le tout *gratis*, sans purgation ni saignée. Peut-on de la santé[1] à meilleur compte ?

TRIVELIN

Au reste, ne cherchez point à vous sauver de ces lieux, vous le tenteriez sans succès, et vous feriez votre fortune plus mauvaise : commencez votre nouveau régime de vie par la patience.

ARLEQUIN

Dès que c'est pour son bien, qu'y a-t-il à dire ?

TRIVELIN, *aux esclaves.*

Quant à vous, mes enfants, qui devenez libres et citoyens, Iphicrate habitera cette case avec le nouvel Arlequin, et cette belle fille demeurera dans l'autre ; vous aurez soin de changer d'habit ensemble, c'est l'ordre[2]. *(À Arlequin.)* Passez maintenant dans une maison qui est à côté, où l'on vous donnera à manger si vous en avez besoin. Je vous apprends, au reste, que vous avez huit jours à vous réjouir du changement de votre état ; après quoi l'on vous donnera, comme à tout le monde, une occupation convenable. Allez, je vous attends ici. *(Aux insulaires.)* Qu'on les conduise. *(Aux femmes.)* Et vous autres, restez.

Arlequin, en s'en allant, fait de grandes révérences à Cléanthis.

1. Comprendre : « avoir » de la santé.
2. L'usage.

SCÈNE 3

Trivelin, Cléanthis, esclave,
Euphrosine, sa maîtresse.

TRIVELIN

Ah ça ! ma compatriote, – car je regarde désormais notre île comme votre patrie, – dites-moi aussi votre nom.

CLÉANTHIS, *saluant.*

Je m'appelle Cléanthis ; et elle, Euphrosine.

TRIVELIN

Cléanthis ? passe pour cela.

CLÉANTHIS

J'ai aussi des surnoms ; vous plaît-il de les savoir ?

TRIVELIN

Oui-da. Et quels sont-ils ?

CLÉANTHIS

J'en ai une liste : Sotte, Ridicule, Bête, Butorde[1], Imbécile, *et cætera.*

1. Féminin de « butor ».

EUPHROSINE, *en soupirant.*

Impertinente que vous êtes !

CLÉANTHIS

Tenez, tenez, en voilà encore un que j'oubliais.

TRIVELIN

Effectivement, elle vous prend sur le fait. Dans votre pays, Euphrosine, on a bientôt dit des injures à ceux à qui l'on en peut dire impunément.

EUPHROSINE

Hélas ! que voulez-vous que je lui réponde, dans l'étrange aventure où je me trouve ?

CLÉANTHIS

Oh ! dame, il n'est plus si aisé de me répondre. Autrefois il n'y avait rien de si commode ; on n'avait affaire qu'à de pauvres gens : fallait-il tant de cérémonies ? « Faites cela, je le veux ; taisez-vous, sotte... » Voilà qui était fini. Mais à présent, il faut parler raison ; c'est un langage étranger pour Madame ; elle l'apprendra avec le temps ; il faut se donner patience : je ferai de mon mieux pour l'avancer.

TRIVELIN, *à Cléanthis.*

Modérez-vous, Euphrosine. *(À Euphrosine.)* Et vous, Cléanthis, ne vous abandonnez point à votre douleur. Je ne puis changer nos lois ni vous en affranchir : je vous ai montré combien elles étaient louables et salutaires pour vous.

CLÉANTHIS

Hum ! Elle me trompera bien si elle amende[1].

TRIVELIN

Mais comme vous êtes d'un sexe naturellement assez faible, et que par là vous avez dû céder plus facilement qu'un homme aux exemples de hauteur, de mépris et de dureté qu'on vous a donnés chez vous contre leurs pareils, tout ce que je puis faire pour vous, c'est de prier Euphrosine de peser avec bonté les torts que vous avez avec elle, afin de les peser avec justice.

CLÉANTHIS

Oh ! tenez, tout cela est trop savant pour moi, je n'y comprends rien ; j'irai le grand chemin, je pèserai comme elle pesait ; ce qui viendra, nous le prendrons.

TRIVELIN

Doucement, point de vengeance.

CLÉANTHIS

Mais, notre bon ami, au bout du compte, vous parlez de son sexe ; elle a le défaut d'être faible, je lui en offre autant ; je n'ai pas la vertu d'être forte.

1. Si elle s'amende.

S'il faut que j'excuse toutes ses mauvaises manières à mon égard, il faudra donc qu'elle excuse aussi la rancune que j'en ai contre elle ; car je suis femme autant qu'elle, moi. Voyons, qui est-ce qui décidera ? Ne suis-je pas la maîtresse une fois ? Eh bien, qu'elle commence toujours par excuser ma rancune ; et puis, moi, je lui pardonnerai, quand je pourrai, ce qu'elle m'a fait : qu'elle attende !

EUPHROSINE, *à Trivelin.*

Quels discours ! Faut-il que vous m'exposiez à les entendre ?

CLÉANTHIS

Souffrez-les, Madame, c'est le fruit de vos œuvres.

TRIVELIN

Allons, Euphrosine, modérez-vous.

CLÉANTHIS

Que voulez-vous que je vous dise ? quand on a de la colère, il n'y a rien de tel pour la passer, que de la contenter un peu, voyez-vous ! Quand je l'aurai querellée à mon aise une douzaine de fois seulement, elle en sera quitte ; mais il me faut cela.

TRIVELIN, *à part, à Euphrosine.*

Il faut que ceci ait son cours ; mais consolez-vous, cela finira plus tôt que vous ne pensez. *(À Cléanthis.)*

J'espère, Euphrosine, que vous perdrez votre ressentiment, et je vous y exhorte en ami. Venons maintenant à l'examen de son caractère : il est nécessaire que vous m'en donniez un portrait, qui se doit faire devant la personne qu'on peint, qu'elle se connaisse, qu'elle rougisse de ses ridicules, si elle en a, et qu'elle se corrige. Nous avons là de bonnes intentions, comme vous voyez. Allons, commençons.

CLÉANTHIS

Oh ! que cela est bien inventé ! Allons, me voilà prête ; interrogez-moi, je suis dans mon fort[1].

EUPHROSINE, *doucement.*

Je vous prie, Monsieur, que je me retire, et que je n'entende point ce qu'elle va dire.

TRIVELIN

Hélas ! ma chère dame, cela n'est fait que pour vous ; il faut que vous soyez présente.

CLÉANTHIS

Restez, restez ; un peu de honte est bientôt passé.

TRIVELIN

Vaine, minaudière et coquette, voilà d'abord à peu près sur quoi je vais vous interroger au hasard. Cela la regarde-t-il ?

1. Mon côté fort.

CLÉANTHIS

Vaine, minaudière et coquette, si cela la regarde ? Eh ! voilà ma chère maîtresse ; cela lui ressemble comme son visage.

EUPHROSINE

N'en voilà-t-il pas assez, Monsieur ?

TRIVELIN

Ah ! je vous félicite du petit embarras que cela vous donne ; vous sentez[1], c'est bon signe, et j'en augure bien pour l'avenir : mais ce ne sont encore là que les grands traits ; détaillons un peu cela. En quoi donc, par exemple, lui trouvez-vous les défauts dont nous parlons ?

CLÉANTHIS

En quoi ? partout, à toute heure, en tous lieux ; je vous ai dit de m'interroger ; mais par où commencer ? je n'en sais rien, et je m'y perds. Il y a tant de choses, j'en ai tant vu, tant remarqué de toutes les espèces, que cela se brouille. Madame se tait, Madame parle ; elle regarde, elle est triste, elle est gaie : silence, discours, regards, tristesse et joie, c'est tout un, il n'y a que la couleur de différente ; c'est vanité muette, contente ou fâchée ; c'est coquetterie babillarde, jalouse ou curieuse ; c'est Madame, toujours vaine ou coquette, l'un après l'autre, ou tous

1. Vous éprouvez des sentiments.

les deux à la fois : voilà ce que c'est, voilà par où je débute ; rien que cela.

EUPHROSINE

Je n'y saurais tenir.

TRIVELIN

Attendez donc, ce n'est qu'un début.

CLÉANTHIS

Madame se lève ; a-t-elle bien dormi, le sommeil l'a-t-il rendue belle, se sent-elle du vif, du sémillant dans les yeux ? vite, sur les armes ; la journée sera glorieuse. « Qu'on m'habille ! » Madame verra du monde aujourd'hui ; elle ira aux spectacles, aux promenades, aux assemblées ; son visage peut se manifester, peut soutenir le grand jour, il fera plaisir à voir, il n'y a qu'à le promener hardiment, il est en état, il n'y a rien à craindre.

TRIVELIN, *à Euphrosine.*

Elle développe assez bien cela.

CLÉANTHIS

Madame, au contraire, a-t-elle mal reposé ? « Ah ! qu'on m'apporte un miroir ; comme me voilà faite ! que je suis mal bâtie[1] ! » Cependant on se mire, on

1. Que j'ai mauvaise mine.

éprouve son visage de toutes les façons, rien ne réussit ; des yeux battus, un teint fatigué ; voilà qui est fini, il faut envelopper ce visage-là, nous n'aurons que du négligé, Madame ne verra personne aujourd'hui, pas même le jour, si elle peut ; du moins fera-t-il sombre dans la chambre. Cependant, il vient compagnie, on entre : que va-t-on penser du visage de Madame ? on croira qu'elle enlaidit : donnera-t-elle ce plaisir-là à ses bonnes amies ? Non, il y a remède à tout : vous allez voir. « Comment vous portez-vous, Madame ? – Très mal, Madame ; j'ai perdu le sommeil ; il y a huit jours que je n'ai fermé l'œil ; je n'ose pas me montrer, je fais peur. » Et cela veut dire : Messieurs, figurez-vous que ce n'est point moi, au moins ; ne me regardez pas, remettez à me voir ; ne me jugez pas aujourd'hui ; attendez que j'aie dormi. J'entendais tout cela, car nous autres esclaves, nous sommes doués contre nos maîtres d'une pénétration[1] !... Oh ! ce sont de pauvres gens pour nous.

TRIVELIN, *à Euphrosine.*

Courage, Madame ; profitez de cette peinture-là, car elle me paraît fidèle.

EUPHROSINE

Je ne sais où j'en suis.

1. D'esprit ; perspicacité.

CLÉANTHIS

Vous en êtes aux deux tiers ; et j'achèverai, pourvu que cela ne vous ennuie pas.

TRIVELIN

Achevez, achevez ; Madame soutiendra bien le reste.

CLÉANTHIS

Vous souvenez-vous d'un soir où vous étiez avec ce cavalier si bien fait ? j'étais dans la chambre ; vous vous entreteniez bas ; mais j'ai l'oreille fine : vous vouliez lui plaire sans faire semblant de rien ; vous parliez d'une femme qu'il voyait souvent. « Cette femme-là est aimable, disiez-vous ; elle a les yeux petits, mais très doux » ; et là-dessus vous ouvriez les vôtres, vous vous donniez des tons, des gestes de tête, de petites contorsions, des vivacités. Je riais. Vous réussîtes pourtant, le cavalier s'y prit ; il vous offrit son cœur. « À moi ? lui dîtes-vous. – Oui, Madame, à vous-même, à tout ce qu'il y a de plus aimable au monde. – Continuez, folâtre, continuez », dîtes-vous, en ôtant vos gants sous prétexte de m'en demander d'autres. Mais vous avez la main belle ; il la vit, il la prit, il la baisa ; cela anima sa déclaration ; et c'était là les gants que vous demandiez. Eh bien ! y suis-je ?

TRIVELIN, *à Euphrosine.*

En vérité, elle a raison.

CLÉANTHIS

Écoutez, écoutez, voici le plus plaisant. Un jour qu'elle pouvait m'entendre, et qu'elle croyait que je ne m'en doutais pas, je parlais d'elle, et je dis : « Oh ! pour cela il faut l'avouer, Madame est une des plus belles femmes du monde. » Que de bontés, pendant huit jours, ce petit mot-là ne me valut-il pas ! J'essayai en pareille occasion de dire que Madame était une femme très raisonnable : oh ! je n'eus rien, cela ne prit point ; et c'était bien fait, car je la flattais.

EUPHROSINE

Monsieur, je ne resterai point, ou l'on me fera rester par force ; je ne puis en souffrir davantage.

TRIVELIN

En voilà donc assez pour à présent.

CLÉANTHIS

J'allais parler des vapeurs de mignardise auxquelles Madame est sujette à la moindre odeur. Elle ne sait pas qu'un jour je mis à son insu des fleurs dans la ruelle de son lit pour voir ce qu'il en serait. J'attendais une vapeur, elle est encore à venir. Le lendemain, en compagnie, une rose parut ; crac ! la vapeur arrive.

TRIVELIN

Cela suffit, Euphrosine ; promenez-vous un moment à quelques pas de nous, parce que j'ai quelque chose à lui dire : elle ira vous rejoindre ensuite.

CLÉANTHIS, *s'en allant.*

Recommandez-lui d'être docile au moins. Adieu, notre bon ami, je vous ai diverti, j'en suis bien aise. Une autre fois je vous dirai comme quoi Madame s'abstient souvent de mettre de beaux habits, pour en mettre un négligé qui lui marque tendrement la taille. C'est encore une finesse que cet habit-là ; on dirait qu'une femme qui le met ne se soucie pas de paraître, mais à d'autres ! on s'y ramasse dans un corset appétissant, on y montre sa bonne façon naturelle ; on y dit aux gens : « Regardez mes grâces, elles sont à moi, celles-là » ; et d'un autre côté on veut leur dire aussi : « Voyez comme je m'habille, quelle simplicité ! il n'y a point de coquetterie dans mon fait. »

TRIVELIN

Mais je vous ai priée de nous laisser.

CLÉANTHIS

Je sors, et tantôt nous reprendrons le discours, qui sera fort divertissant ; car vous verrez aussi comme quoi Madame entre dans une loge au spectacle, avec quelle emphase, avec quel air imposant, quoique d'un air distrait et sans y penser ; car c'est la belle éducation qui donne cet orgueil-là. Vous verrez comme dans la loge on y jette un regard indifférent et dédaigneux sur des femmes qui sont à côté, et qu'on ne connaît pas[1]. Bonjour, notre bon ami, je vais à notre auberge.

SCÈNE 4

Trivelin, Euphrosine.

TRIVELIN

Cette scène-ci vous a un peu fatiguée[2] ; mais cela ne vous nuira pas.

EUPHROSINE

Vous êtes des barbares.

TRIVELIN

Nous sommes d'honnêtes gens[3] qui vous instruisons ; voilà tout. Il vous reste encore à satisfaire à une formalité.

EUPHROSINE

Encore des formalités !

TRIVELIN

Celle-ci est moins que rien ; je dois faire rapport de tout ce que je viens d'entendre, et de tout ce que vous m'allez répondre. Convenez-vous de tous les

1. Qu'on fait mine d'ignorer.
2. Ennuyée.
3. Des gens polis.

sentiments coquets, de toutes les singeries d'amour-propre qu'elle vient de vous attribuer ?

EUPHROSINE

Moi, j'en conviendrais ! Quoi ! de pareilles faussetés sont-elles croyables !

TRIVELIN

Oh ! très croyables, prenez-y garde. Si vous en convenez, cela contribuera à rendre votre condition meilleure ; je ne vous en dis pas davantage... On espérera que, vous étant reconnue, vous abjurerez un jour toutes ces folies qui font qu'on n'aime que soi, et qui ont distrait votre bon cœur d'une infinité d'attentions plus louables. Si au contraire vous ne convenez pas de ce qu'elle a dit, on vous regardera comme incorrigible, et cela reculera votre délivrance. Voyez, consultez-vous.

EUPHROSINE

Ma délivrance ! Eh ! puis-je l'espérer ?

TRIVELIN

Oui, je vous la garantis aux conditions que je vous dis.

EUPHROSINE

Bientôt ?

TRIVELIN

Sans doute.

EUPHROSINE

Monsieur, faites donc comme si j'étais convenue de tout.

TRIVELIN

Quoi ! vous me conseillez de mentir !

EUPHROSINE

En vérité, voilà d'étranges conditions ! cela révolte !

TRIVELIN

Elles humilient un peu ; mais cela est fort bon. Déterminez-vous ; une liberté très prochaine est le prix de la vérité. Allons, ne ressemblez-vous pas au portrait qu'on a fait ?

EUPHROSINE

Mais...

TRIVELIN

Quoi ?

EUPHROSINE

Il y a du vrai, par-ci, par-là.

TRIVELIN

Par-ci, par-là, n'est point notre compte ; avouez-vous tous les faits ? En a-t-elle trop dit ? n'a-t-elle dit que ce qu'il faut ? Hâtez-vous ; j'ai autre chose à faire.

EUPHROSINE

Vous faut-il une réponse si exacte ?

TRIVELIN

Eh ! oui, Madame, et le tout pour votre bien.

EUPHROSINE

Eh bien...

TRIVELIN

Après ?

EUPHROSINE

Je suis jeune...

TRIVELIN

Je ne vous demande pas votre âge.

EUPHROSINE

On est d'un certain rang ; on aime à plaire.

TRIVELIN

Et c'est ce qui fait que le portrait vous ressemble.

EUPHROSINE

Je crois que oui.

TRIVELIN

Eh ! voilà ce qu'il nous fallait. Vous trouvez aussi le portrait un peu risible, n'est-ce pas ?

EUPHROSINE

Il faut bien l'avouer.

TRIVELIN

À merveille ! Je suis content, ma chère dame. Allez rejoindre Cléanthis : je lui rends déjà son véritable nom, pour vous donner encore des gages de ma parole. Ne vous impatientez point ; montrez un peu de docilité, et le moment espéré arrivera.

EUPHROSINE

Je m'en fie à vous.

SCÈNE 5

Arlequin, Iphicrate,
qui ont changé d'habits, Trivelin.

ARLEQUIN

Tirlan, tirlan, tirlantaine ! tirlanton ! Gai, camarade ! le vin de la république est merveilleux. J'en ai bu bravement ma pinte car je suis si altéré depuis que je suis maître, que tantôt j'aurai encore soif pour pinte. Que le ciel conserve la vigne, le vigneron, la vendange et les caves de notre admirable république !

TRIVELIN

Bon ! réjouissez-vous, mon camarade. Êtes-vous content d'Arlequin ?

ARLEQUIN

Oui, c'est un bon enfant ; j'en ferai quelque chose. Il soupire parfois, et je lui ai défendu cela sous peine de désobéissance, et lui ordonne de la joie. *(Il prend son maître par la main et danse.)* Tala rara la la...

TRIVELIN

Vous me réjouissez moi-même.

ARLEQUIN

Oh ! quand je suis gai, je suis de bonne humeur.

TRIVELIN

Fort bien. Je suis charmé de vous voir satisfait d'Arlequin. Vous n'aviez pas beaucoup à vous plaindre de lui dans son pays apparemment ?

ARLEQUIN

Eh ! là-bas ? Je lui voulais souvent un mal de diable ; car il était quelquefois insupportable ; mais à cette heure que je suis heureux, tout est payé ; je lui ai donné quittance.

TRIVELIN

Je vous aime de ce caractère et vous me touchez. C'est-à-dire que vous jouirez modestement de votre bonne fortune, et que vous ne lui ferez point de peine ?

ARLEQUIN

De la peine ! Ah ! le pauvre homme ! Peut-être que je serai un petit brin insolent, à cause que je suis le maître : voilà tout.

TRIVELIN

À cause que je suis le maître ; vous avez raison.

ARLEQUIN

Oui ; car quand on est le maître, on y va tout rondement, sans façon, et si peu de façon mène quelquefois un honnête homme à des impertinences.

TRIVELIN

Oh ! n'importe : je vois bien que vous n'êtes point méchant.

ARLEQUIN

Hélas ! je ne suis que mutin.

TRIVELIN, *à Iphicrate.*

Ne vous épouvantez point de ce que je vais dire. *(À Arlequin.)* Instruisez-moi d'une chose. Comment se gouvernait-il là-bas ? avait-il quelque défaut d'humeur, de caractère ?

ARLEQUIN, *riant.*

Ah ! mon camarade, vous avez de la malice ; vous demandez la comédie.

TRIVELIN

Ce caractère-là est donc bien plaisant ?

ARLEQUIN

Ma foi, c'est une farce.

TRIVELIN

N'importe, nous en rirons.

ARLEQUIN, *à Iphicrate.*

Arlequin, me promets-tu d'en rire aussi ?

IPHICRATE, *bas.*

Veux-tu achever de me désespérer ? que vas-tu lui dire ?

ARLEQUIN

Laisse-moi faire ; quand je t'aurai offensé, je te demanderai pardon après.

TRIVELIN

Il ne s'agit que d'une bagatelle ; j'en ai demandé autant à la jeune fille que vous avez vue, sur le chapitre de sa maîtresse.

ARLEQUIN

Eh bien, tout ce qu'elle vous a dit, c'étaient des folies qui faisaient pitié, des misères ? gageons.

TRIVELIN

Cela est encore vrai.

ARLEQUIN

Eh bien, je vous en offre autant ; ce pauvre jeune garçon n'en fournira pas davantage ; extravagance et misère, voilà son paquet ; n'est-ce pas là de belles guenilles pour les étaler ? Étourdi par nature, étourdi par singerie, parce que les femmes les aiment comme cela ; un dissipe-tout ; vilain [1] quand il faut être libéral, libéral quand il faut être vilain ; bon emprunteur,

1. Avare.

mauvais payeur ; honteux d'être sage, glorieux d'être fou ; un petit brin moqueur des bonnes gens ; un petit brin hâbleur : avec tout plein de maîtresses qu'il ne connaît pas ; voilà mon homme. Est-ce la peine d'en tirer le portrait ? *(À Iphicrate.)* Non, je n'en ferai rien, mon ami, ne crains rien.

TRIVELIN

Cette ébauche me suffit. *(À Iphicrate.)* Vous n'avez plus maintenant qu'à certifier pour vérifier ce qu'il vient de dire.

IPHICRATE

Moi ?

TRIVELIN

Vous-même ; la dame de tantôt en a fait autant ; elle vous dira ce qui l'y a déterminée. Croyez-moi, il y va du plus grand bien que vous puissiez souhaiter.

IPHICRATE

Du plus grand bien ? Si cela est, il y a là quelque chose qui pourrait assez me convenir d'une certaine façon.

ARLEQUIN

Prends tout ; c'est un habit fait sur ta taille.

TRIVELIN

Il me faut tout ou rien.

IPHICRATE

Voulez-vous que je m'avoue un ridicule ?

ARLEQUIN

Qu'importe, quand on l'a été ?

TRIVELIN

N'avez-vous que cela à me dire ?

IPHICRATE

Va donc pour la moitié, pour me tirer d'affaire.

TRIVELIN

Va du tout.

IPHICRATE

Soit. *(Arlequin rit de toute sa force.)*

TRIVELIN

Vous avez fort bien fait, vous n'y perdrez rien. Adieu, vous saurez bientôt de mes nouvelles.

SCÈNE 6

Cléanthis, Iphicrate, Arlequin, Euphrosine.

CLÉANTHIS

Seigneur Iphicrate, peut-on vous demander de quoi vous riez ?

ARLEQUIN

Je ris de mon Arlequin qui a confessé qu'il était un ridicule.

CLÉANTHIS

Cela me surprend, car il a la mine d'un homme raisonnable. Si vous voulez voir une coquette de son propre aveu, regardez ma suivante.

ARLEQUIN, *la regardant.*

Malepeste ! quand ce visage-là fait le fripon, c'est bien son métier. Mais parlons d'autres choses, ma belle demoiselle ; qu'est-ce que nous ferons à cette heure que nous sommes gaillards ?

CLÉANTHIS

Eh ! mais, la belle conversation.

ARLEQUIN

Je crains que cela ne vous fasse bâiller, j'en bâille déjà. Si je devenais amoureux de vous, cela amuserait davantage.

CLÉANTHIS

Eh bien, faites. Soupirez pour moi ; poursuivez mon cœur, prenez-le si vous le pouvez, je ne vous en empêche pas ; c'est à vous à faire vos diligences ; me voilà, je vous attends ; mais traitons l'amour à la grande manière, puisque nous sommes devenus maîtres ; allons-y poliment, et comme le grand monde.

ARLEQUIN

Oui-da ; nous n'en irons que meilleur train.

CLÉANTHIS

Je suis d'avis d'une chose, que nous disions qu'on nous apporte des sièges pour prendre l'air assis, et pour écouter les discours galants que vous m'allez tenir ; il faut bien jouir de notre état, en goûter le plaisir.

ARLEQUIN

Votre volonté vaut une ordonnance[1]. *(À Iphicrate.)* Arlequin, vite des sièges pour moi, et des fauteuils pour Madame.

IPHICRATE

Peux-tu m'employer à cela ?

1. Décret offciel.

ARLEQUIN

La république le veut.

CLÉANTHIS

Tenez, tenez, promenons-nous plutôt de cette manière-là, et tout en conversant vous ferez adroitement tomber l'entretien sur le penchant que mes yeux vous ont inspiré pour moi. Car encore une fois nous sommes d'honnêtes gens à cette heure, il faut songer à cela ; il n'est plus question de familiarité domestique. Allons, procédons noblement, n'épargnez ni compliments ni révérences.

ARLEQUIN

Et vous, n'épargnez point les mines. Courage ; quand ce ne serait que pour nous moquer de nos patrons. Garderons-nous nos gens ?

CLÉANTHIS

Sans difficulté ; pouvons-nous être sans eux ? c'est notre suite ; qu'ils s'éloignent seulement.

ARLEQUIN, *à Iphicrate.*

Qu'on se retire à dix pas.

Iphicrate et Euphrosine s'éloignent en faisant des gestes d'étonnement et de douleur. Cléanthis regarde aller Iphicrate, et Arlequin, Euphrosine.

ARLEQUIN, *se promenant sur le théâtre avec Cléanthis.*

Remarquez-vous, Madame, la clarté du jour ?

CLÉANTHIS

Il fait le plus beau temps du monde ; on appelle cela un jour tendre.

ARLEQUIN

Un jour tendre ? Je ressemble donc au jour, Madame.

CLÉANTHIS

Comment ! vous lui ressemblez ?

ARLEQUIN

Eh palsambleu ! le moyen de n'être pas tendre, quand on se trouve tête à tête avec vos grâces ? *(À ce mot il saute de joie.)* Oh ! oh ! oh ! oh !

CLÉANTHIS

Qu'avez-vous donc ? vous défigurez notre conversation.

ARLEQUIN

Oh ! ce n'est rien : c'est que je m'applaudis.

CLÉANTHIS

Rayez ces applaudissements, ils nous dérangent. *(Continuant.)* Je savais bien que mes grâces entreraient pour quelque chose ici. Monsieur, vous êtes galant ; vous vous promenez avec moi, vous me dites des douceurs ; mais finissons, en voilà assez, je vous dispense des compliments.

ARLEQUIN

Et moi, je vous remercie de vos dispenses.

CLÉANTHIS

Vous m'allez dire que vous m'aimez, je le vois bien ; dites, Monsieur, dites ; heureusement on n'en croira rien. Vous êtes aimable, mais coquet, et vous ne persuaderez pas.

ARLEQUIN, *l'arrêtant par le bras, et se mettant à genoux.*

Faut-il m'agenouiller, Madame, pour vous convaincre de mes flammes, et de la sincérité de mes feux ?

CLÉANTHIS

Mais ceci devient sérieux. Laissez-moi, je ne veux point d'affaires [1] ; levez-vous. Quelle vivacité ! Faut-il vous dire qu'on vous aime ? Ne peut-on en être quitte à moins ? Cela est étrange.

1. D'aventures.

ARLEQUIN, *riant à genoux.*

Ah ! ah ! ah ! que cela va bien ! Nous sommes aussi bouffons que nos patrons, mais nous sommes plus sages.

CLÉANTHIS

Oh ! vous riez, vous gâtez tout.

ARLEQUIN

Ah ! ah ! par ma foi, vous êtes bien aimable et moi aussi. Savez-vous ce que je pense ?

CLÉANTHIS

Quoi ?

ARLEQUIN

Premièrement, vous ne m'aimez pas, sinon par coquetterie, comme le grand monde.

CLÉANTHIS

Pas encore, mais il ne s'en fallait plus que d'un mot, quand vous m'avez interrompue. Et vous, m'aimez-vous ?

ARLEQUIN

J'y allais aussi, quand il m'est venu une pensée. Comment trouvez-vous mon Arlequin ?

CLÉANTHIS

Fort à mon gré. Mais que dites-vous de ma suivante ?

ARLEQUIN

Qu'elle est friponne !

CLÉANTHIS

J'entrevois votre pensée.

ARLEQUIN

Voilà ce que c'est ; tombez amoureuse d'Arlequin, et moi de votre suivante. Nous sommes assez forts pour soutenir cela.

CLÉANTHIS

Cette imagination-là me rit assez. Ils ne sauraient mieux faire que de nous aimer, dans le fond.

ARLEQUIN

Ils n'ont jamais rien aimé de si raisonnable, et nous sommes d'excellents partis pour eux.

CLÉANTHIS

Soit. Inspirez à Arlequin de s'attacher à moi ; faites-lui sentir l'avantage qu'il y trouvera dans la situation où il est ; qu'il m'épouse, il sortira tout d'un coup d'esclavage ; cela est bien aisé, au bout du compte. Je n'étais ces jours passés qu'une esclave ; mais enfin me voilà dame et maîtresse d'aussi bon jeu qu'une autre ; je la suis par hasard ; n'est-ce pas le hasard qui fait tout ? Qu'y a-t-il à dire à cela ? J'ai même un visage de condition ; tout le monde me l'a dit.

ARLEQUIN

Pardi ! je vous prendrais bien, moi, si je n'aimais pas votre suivante un petit brin plus que vous. Conseillez-lui aussi de l'amour pour ma petite personne, qui, comme vous voyez, n'est pas désagréable.

CLÉANTHIS

Vous allez être content ; je vais rappeler Cléanthis, je n'ai qu'un mot à lui dire ; éloignez-vous un instant et revenez. Vous parlerez ensuite à Arlequin pour moi ; car il faut qu'il commence ; mon sexe, la bienséance et ma dignité le veulent.

ARLEQUIN

Oh ! ils le veulent, si vous voulez ; car dans le grand monde on n'est pas si façonnier ; et, sans faire semblant de rien, vous pourriez lui jeter quelque petit mot clair à l'aventure pour lui donner courage, à cause que vous êtes plus que lui, c'est l'ordre[1].

1. C'est le nouvel ordre des choses.

CLÉANTHIS

C'est assez bien raisonner. Effectivement, dans le cas où je suis, il pourrait y avoir de la petitesse à m'assujettir à de certaines formalités qui ne me regardent plus ; je comprends cela à merveille ; mais parlez-lui toujours, je vais dire un mot à Cléanthis ; tirez-vous à quartier[1] pour un moment.

ARLEQUIN

Vantez mon mérite ; prêtez-m'en un peu à charge de revanche.

CLÉANTHIS

Laissez-moi faire. *(Elle appelle Euphrosine.)* Cléanthis !

SCÈNE 7

Cléanthis, Euphrosine, qui vient doucement.

CLÉANTHIS

Approchez et accoutumez-vous à aller plus vite car je ne saurais attendre.

EUPHROSINE

De quoi s'agit-il ?

1. Dans vos quartiers.

CLÉANTHIS

Venez çà, écoutez-moi. Un honnête homme vient de me témoigner qu'il vous aime ; c'est Iphicrate.

EUPHROSINE

Lequel ?

CLÉANTHIS

Lequel ? Y en a-t-il deux ici ? c'est celui qui vient de me quitter.

EUPHROSINE

Eh ! que veut-il que je fasse de son amour ?

CLÉANTHIS

Eh ! qu'avez-vous fait de l'amour de ceux qui vous aimaient ? vous voilà bien étourdie ! est-ce le mot d'amour qui vous effarouche ? Vous le connaissez tant cet amour ! vous n'avez jusqu'ici regardé les gens que pour leur en donner ; vos beaux yeux n'ont fait que cela ; dédaignent-ils la conquête du seigneur Iphicrate ? Il ne vous fera pas de révérences penchées ; vous ne lui trouverez point de contenance ridicule, d'air évaporé ; ce n'est point une tête légère, un petit badin, un petit perfide, un joli volage, un aimable indiscret ; ce n'est point tout cela ; ces grâces-là lui manquent à la vérité ; ce n'est qu'un homme simple dans ses manières, qui n'a pas l'esprit de se donner des airs ; qui vous dira qu'il vous aime seulement parce que cela sera vrai ; enfin ce n'est qu'un bon cœur, voilà tout ; et cela est fâcheux, cela ne pique point. Mais vous avez l'esprit raisonnable ; je vous destine à lui, il fera votre fortune ici, et vous aurez la bonté d'estimer son amour, et vous y serez sensible, entendez-vous ? Vous vous conformerez à mes intentions, je l'espère ; imaginez vous-même que je le veux.

EUPHROSINE

Où suis-je ! et quand cela finira-t-il ?

Elle rêve.

SCÈNE 8

Arlequin, Euphrosine.
Arlequin arrive en saluant Cléanthis qui sort.
Il va tirer Euphrosine par la manche.

EUPHROSINE

Que me voulez-vous ?

ARLEQUIN, *riant.*

Eh ! eh ! eh ! ne vous a-t-on pas parlé de moi ?

EUPHROSINE

Laissez-moi, je vous prie.

ARLEQUIN

Eh ! là, là, regardez-moi dans l'œil pour deviner ma pensée.

EUPHROSINE

Eh ! pensez ce qu'il vous plaira.

ARLEQUIN

M'entendez-vous un peu ?

EUPHROSINE

Non.

ARLEQUIN

C'est que je n'ai encore rien dit.

EUPHROSINE, *impatiente.*

Ah !

ARLEQUIN

Ne mentez point ; on vous a communiqué les sentiments de mon âme ; rien n'est plus obligeant pour vous.

EUPHROSINE

Quel état !

ARLEQUIN

Vous me trouvez un peu nigaud, n'est-il pas vrai ? Mais cela se passera ; c'est que je vous aime, et que je ne sais comment vous le dire.

EUPHROSINE

Vous ?

ARLEQUIN

Eh ! pardi ! oui ; qu'est-ce qu'on peut faire de mieux ? Vous êtes si belle ! il faut bien vous donner son cœur ; aussi bien vous le prendriez de vous-même.

EUPHROSINE

Voici le comble de mon infortune.

ARLEQUIN, *lui regardant les mains.*

Quelles mains ravissantes ! les jolis petits doigts ! que je serais heureux avec cela ! mon petit cœur en ferait bien son profit. Reine, je suis bien tendre, mais vous ne voyez rien. Si vous aviez la charité d'être tendre aussi, oh ! je deviendrais fou tout à fait.

EUPHROSINE

Tu ne l'es que trop.

ARLEQUIN

Je ne le serai jamais tant que vous en êtes digne.

EUPHROSINE

Je ne suis digne que de pitié, mon enfant.

ARLEQUIN

Bon, bon ! à qui est-ce que vous contez cela ? vous êtes digne de toutes les dignités imaginables ; un empereur ne vous vaut pas, ni moi non plus ; mais me voilà, moi, et un empereur n'y est pas ; et un rien qu'on voit vaut mieux que quelque chose qu'on ne voit pas. Qu'en dites-vous ?

EUPHROSINE

Arlequin, il me semble que tu n'as pas le cœur mauvais.

ARLEQUIN

Oh ! il ne s'en fait plus de cette pâte-là ; je suis un mouton.

EUPHROSINE

Respecte donc le malheur que j'éprouve.

ARLEQUIN

Hélas ! je me mettrais à genoux devant lui.

EUPHROSINE

Ne persécute point une infortunée, parce que tu peux la persécuter impunément. Vois l'extrémité où je suis réduite ; et si tu n'as point d'égard au rang que je tenais dans le monde, à ma naissance, à mon éducation, du moins que mes disgrâces, que mon esclavage, que ma douleur t'attendrissent. Tu peux ici m'outrager autant que tu le voudras, je suis sans asile et sans défense, je n'ai que mon désespoir pour tout secours, j'ai besoin de la compassion de tout le monde, de la tienne même, Arlequin ; voilà l'état où je suis ; ne le trouves-tu pas assez misérable ? Tu es devenu libre et heureux, cela doit-il te rendre méchant ? Je n'ai pas la force de t'en dire davantage : je ne t'ai jamais fait de mal ; n'ajoute rien à celui que je souffre.

Elle sort.

ARLEQUIN, *abattu, les bras abaissés, et comme immobile.*

J'ai perdu la parole.

SCÈNE 9

Iphicrate, Arlequin.

IPHICRATE

Cléanthis m'a dit que tu voulais t'entretenir avec moi ; que me veux-tu ? as-tu encore quelques nouvelles insultes à me faire ?

ARLEQUIN

Autre personnage qui va me demander encore ma compassion. Je n'ai rien à te dire, mon ami, sinon que je voulais te faire commandement d'aimer la nouvelle Euphrosine ; voilà tout. À qui diantre en as-tu ?

IPHICRATE

Peux-tu me le demander, Arlequin ?

ARLEQUIN

Eh ! pardi, oui, je le peux, puisque je le fais.

IPHICRATE

On m'avait promis que mon esclavage finirait bientôt, mais on me trompe, et c'en est fait, je succombe ; je me meurs, Arlequin, et tu perdras bientôt ce malheureux maître qui ne te croyait pas capable des indignités qu'il a souffertes de toi.

ARLEQUIN

Ah ! il ne nous manquait plus que cela, et nos amours auront bonne mine. Écoute, je te défends de mourir par malice ; par maladie, passe, je te le permets.

IPHICRATE

Les dieux te puniront, Arlequin.

ARLEQUIN

Eh ! de quoi veux-tu qu'ils me punissent ; d'avoir eu du mal toute ma vie ?

IPHICRATE

De ton audace et de tes mépris envers ton maître ; rien ne m'a été aussi sensible, je l'avoue. Tu es né, tu as été élevé avec moi dans la maison de mon père ; le tien y est encore ; il t'avait recommandé ton devoir en partant ; moi-même je t'avais choisi par un sentiment d'amitié pour m'accompagner dans mon voyage ; je croyais que tu m'aimais, et cela m'attachait à toi.

ARLEQUIN, *pleurant.*

Eh ! qui est-ce qui te dit que je ne t'aime plus ?

IPHICRATE

Tu m'aimes, et tu me fais mille injures ?

ARLEQUIN

Parce que je me moque un petit brin de toi ; cela empêche-t-il que je t'aime ? Tu disais bien que tu m'aimais, toi, quand tu me faisais battre ; est-ce que les étrivières [1] sont plus honnêtes que les moqueries ?

IPHICRATE

Je conviens que j'ai pu quelquefois te maltraiter sans trop de sujet.

ARLEQUIN

C'est la vérité.

1. Donner les étrivières : frapper.

IPHICRATE

Mais par combien de bontés ai-je réparé cela !

ARLEQUIN

Cela n'est pas de ma connaissance.

IPHICRATE

D'ailleurs, ne fallait-il pas te corriger de tes défauts ?

ARLEQUIN

J'ai plus pâti des tiens que des miens ; mes plus grands défauts, c'était ta mauvaise humeur, ton autorité, et le peu de cas que tu faisais de ton pauvre esclave.

IPHICRATE

Va, tu n'es qu'un ingrat au lieu de me secourir ici, de partager mon affliction, de montrer à tes camarades l'exemple d'un attachement qui les eût touchés, qui les eût engagés peut-être à renoncer à leur coutume ou à m'en affranchir, et qui m'eût pénétré moi-même de la plus vive reconnaissance !

ARLEQUIN

Tu as raison, mon ami ; tu me remontres bien mon devoir ici pour toi ; mais tu n'as jamais su le tien pour moi, quand nous étions dans Athènes. Tu veux que je partage ton affliction, et jamais tu n'as partagé la mienne. Eh bien ! va, je dois avoir le cœur meilleur que toi ; car il y a plus longtemps que je souffre, et que je sais ce que c'est que de la peine. Tu m'as battu par amitié : puisque tu le dis, je te le pardonne ; je t'ai raillé par bonne humeur, prends-le en bonne part, et fais-en ton profit. Je parlerai en ta faveur à mes camarades, je les prierai de te renvoyer, et, s'ils ne le veulent pas, je te garderai comme mon ami ; car je ne te ressemble pas, moi ; je n'aurais point le courage d'être heureux à tes dépens.

IPHICRATE, *s'approchant d'Arlequin.*

Mon cher Arlequin, fasse le ciel, après ce que je viens d'entendre, que j'aie la joie de te montrer un jour les sentiments que tu me donnes pour toi ! Va, mon cher enfant, oublie que tu fus mon esclave, et je me ressouviendrais toujours que je ne méritais pas d'être ton maître.

ARLEQUIN

Ne dites donc point comme cela, mon cher patron : si j'avais été votre pareil, je n'aurais peut-être pas mieux valu que vous. C'est à moi à vous demander pardon du mauvais service que je vous ai toujours rendu. Quand vous n'étiez pas raisonnable, c'était ma faute.

IPHICRATE, *l'embrassant.*

Ta générosité me couvre de confusion.

ARLEQUIN

Mon pauvre patron, qu'il y a de plaisir à bien faire ! *(Après quoi il déshabille son maître.)*

IPHICRATE

Que fais-tu, mon cher ami ?

ARLEQUIN

Rendez-moi mon habit, et reprenez le vôtre ; je ne suis pas digne de le porter.

IPHICRATE

Je ne saurais retenir mes larmes. Fais ce que tu voudras.

SCÈNE 10

Cléanthis, Euphrosine, Iphicrate, Arlequin.

CLÉANTHIS, *en entrant avec Euphrosine qui pleure.*

Laissez-moi, je n'ai que faire de vous entendre gémir. *(Et plus près d'Arlequin.)* Qu'est-ce que cela signifie, seigneur Iphicrate ? Pourquoi avez-vous repris votre habit ?

ARLEQUIN, *tendrement.*

C'est qu'il est trop petit pour mon cher ami, et que le sien est trop grand pour moi.

Il embrasse les genoux de son maître.

CLÉANTHIS

Expliquez-moi donc ce que je vois ; il semble que vous lui demandiez pardon ?

ARLEQUIN

C'est pour me châtier de mes insolences.

CLÉANTHIS

Mais enfin notre projet ?

ARLEQUIN

Mais enfin, je veux être un homme de bien ; n'est-ce pas là un beau projet ? je me repens de mes sottises, lui des siennes ; repentez-vous des vôtres, Madame Euphrosine se repentira aussi ; et vive l'honneur après ! cela fera quatre beaux repentirs, qui nous feront pleurer tant que nous voudrons.

EUPHROSINE

Ah ! ma chère Cléanthis, quel exemple pour vous !

IPHICRATE

Dites plutôt : quel exemple pour nous ! Madame, vous m'en voyez pénétré[1].

1. Convaincu.

CLÉANTHIS

Ah ! vraiment, nous y voilà avec vos beaux exemples. Voilà de nos gens qui nous méprisent dans le monde, qui font les fiers, qui nous maltraitent, et qui nous regardent comme des vers de terre ; et puis, qui sont trop heureux dans l'occasion de nous trouver cent fois plus honnêtes gens qu'eux. Fi ! que cela est vilain de n'avoir eu pour mérite que de l'or, de l'argent et des dignités ! C'était bien la peine de faire tant les glorieux ! Où en seriez-vous aujourd'hui, si nous n'avions point d'autre mérite que cela pour vous ? Voyons, ne seriez-vous pas bien attrapés ? Il s'agit de vous pardonner, et pour avoir cette bonté-là, que faut-il être, s'il vous plaît ? Riche ? non ; noble ? non ; grand seigneur ? point du tout. Vous étiez tout cela ; en valiez-vous mieux ? Et que faut-il donc ? Ah ! nous y voici. Il faut avoir le cœur bon, de la vertu et de la raison ; voilà ce qu'il faut, voilà ce qui est estimable, ce qui distingue, ce qui fait qu'un homme est plus qu'un autre. Entendez-vous, Messieurs les honnêtes gens du monde ? Voilà avec quoi l'on donne les beaux exemples que vous demandez et qui vous passent. Et à qui les demandez-vous ? À de pauvres gens que vous avez toujours offensés, maltraités, accablés, tout riches que vous êtes, et qui ont aujourd'hui pitié de vous, tout pauvres qu'ils sont. Estimez-vous à cette heure, faites les superbes, vous aurez bonne grâce ! Allez, vous devriez rougir de honte.

ARLEQUIN

Allons, m'amie, soyons bonnes gens sans le reprocher, faisons du bien sans dire d'injures. Ils sont contrits d'avoir été méchants, cela fait qu'ils nous valent bien ; car quand on se repent, on est bon ; et quand on est bon, on est aussi avancé que nous. Approchez, Madame Euphrosine ; elle vous pardonne ; voici qu'elle pleure ; la rancune s'en va, et votre affaire est faite.

CLÉANTHIS

Il est vrai que je pleure : ce n'est pas le bon cœur qui me manque.

EUPHROSINE, *tristement.*

Ma chère Cléanthis, j'ai abusé de l'autorité que j'avais sur toi, je l'avoue.

CLÉANTHIS

Hélas ! comment en aviez-vous le courage ? Mais voilà qui est fait, je veux bien oublier tout ; faites comme vous voudrez. Si vous m'avez fait souffrir, tant pis pour vous ; je ne veux pas avoir à me reprocher la même chose, je vous rends la liberté ; et s'il y avait un vaisseau, je partirais tout à l'heure avec vous : voilà tout le mal que je vous veux ; si vous m'en faites encore, ce ne sera pas ma faute.

ARLEQUIN, *pleurant.*

Ah ! la brave fille ! ah ! le charitable naturel !

IPHICRATE

Êtes-vous contente, Madame ?

EUPHROSINE, *avec attendrissement.*

Viens que je t'embrasse, ma chère Cléanthis.

ARLEQUIN, *à Cléanthis.*

Mettez-vous à genoux pour être encore meilleure qu'elle.

EUPHROSINE

La reconnaissance me laisse à peine la force de te répondre. Ne parle plus de ton esclavage, et ne songe plus désormais qu'à partager avec moi tous les biens que les dieux m'ont donnés, si nous retournons à Athènes.

SCÈNE 11

Trivelin et les acteurs précédents.

TRIVELIN

Que vois-je ? vous pleurez, mes enfants ; vous vous embrassez !

ARLEQUIN

Ah ! vous ne voyez rien ; nous sommes admirables ; nous sommes des rois et des reines. En fin finale, la paix est conclue, la vertu a arrangé tout cela ; il ne nous faut plus qu'un bateau et un batelier pour nous en aller : et si vous nous les donnez, vous serez presque aussi honnêtes gens que nous.

TRIVELIN

Et vous, Cléanthis, êtes-vous du même sentiment ?

CLÉANTHIS, *baisant la main de sa maîtresse.*

Je n'ai que faire de vous en dire davantage ; vous voyez ce qu'il en est.

ARLEQUIN, *prenant aussi la main de son maître pour la baiser.*

Voilà aussi mon dernier mot, qui vaut bien des paroles.

TRIVELIN

Vous me charmez. Embrassez-moi aussi, mes chers enfants ; c'est là ce que j'attendais. Si cela n'était pas arrivé, nous aurions puni vos vengeances, comme nous avons puni leurs duretés. Et vous, Iphicrate, vous, Euphrosine, je vous vois attendris ; je n'ai rien à ajouter aux leçons que vous donne cette aventure. Vous avez été leurs maîtres, et vous en avez mal agi ; ils sont devenus les vôtres, et ils vous pardonnent ; faites vos réflexions là-dessus. La différence des conditions n'est qu'une épreuve que les dieux font sur nous : je ne vous en dis pas davantage. Vous partirez dans deux jours et vous reverrez Athènes. Que la joie à présent, et que les plaisirs succèdent aux chagrins que vous avez sentis, et célèbrent le jour de votre vie le plus profitable.

DIVERTISSEMENT

L'Isle des esclaves

Air pour les esclaves

Un esclave

Quand un homme est fier de son rang Et qu'il me
van - te sa nais - san - ce, Je ris – – – – je ris de notre im - per - ti -
nen - ce, Qui de ce nain fait un gé - ant.
Mais a-t-il l'â - me res - pec - ta - ble? Est-il né

tendre et gé - né - reux; Je vou - drais for - ger u - ne

fa - ble Qui le fit des - cen - dre des dieux. Je vou-

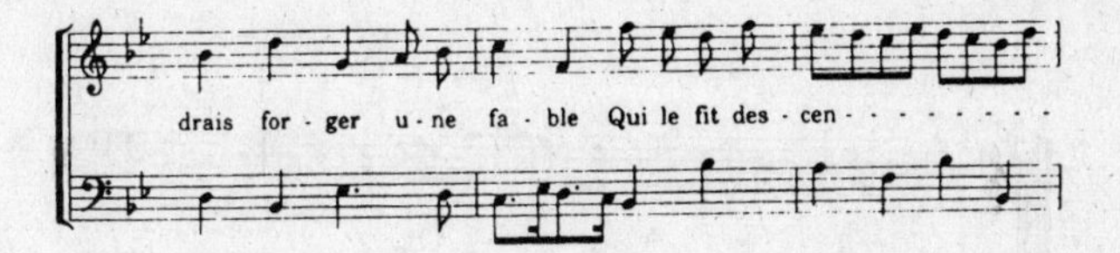
drais for - ger u - ne fa - ble Qui le fit des - cen- - - - - - - -

- - dre des dieux.

Air pour les mêmes

Vaudeville

2. La vertu seule a droit de plaire,
Dit le philosophe ici-bas.
C'est bien dit, mais ce pauvre hère
Aime l'argent et n'en a pas.
Il en médit dans sa colère.

3. « Arlequin au parterre » :
J'avais cru, patron de la case
Et digne objet de notre amour,
Qu'ici, comme en campagne rase,
L'herbe croîtrait au premier jour.

LA COLONIE

Le texte d'origine de *La Colonie*, écrite en 1799, a été perdu. La pièce réduite à un acte a été publiée par le *Mercure de France* en 1750.

ACTEURS

ARTHÉNICE, *femme noble.*
MADAME SORBIN, *femme d'artisan.*
MONSIEUR SORBIN, *mari de Madame Sorbin.*
TIMAGÈNE, *homme noble.*
LINA, *fille de Madame Sorbin.*
PERSINET, *jeune homme du peuple, amant de Lina.*
HERMOCRATE, *autre noble.*
Troupe de femmes, tant nobles que du peuple.

La scène est dans une île
où sont abordés tous les acteurs.

SCÈNE 1

Arthénice, Madame Sorbin.

ARTHÉNICE

Ah çà ! Madame Sorbin, ou plutôt ma compagne, car vous l'êtes, puisque les femmes de votre état viennent de vous revêtir du même pouvoir dont les femmes nobles m'ont revêtue moi-même, donnons-nous la main, unissons-nous et n'ayons qu'un même esprit toutes les deux.

MADAME SORBIN, *lui donnant* la main.

Conclusion, il n'y a plus qu'une femme et qu'une pensée ici.

ARTHÉNICE

Nous voici chargées du plus grand intérêt que notre sexe ait jamais eu, et cela dans la conjoncture du monde la plus favorable pour discuter notre droit vis-à-vis les hommes.

MADAME SORBIN

Oh ! pour cette fois-ci, Messieurs, nous compterons ensemble.

ARTHÉNICE

Depuis qu'il a fallu nous sauver avec eux dans cette île où nous sommes fixées, le gouvernement de notre patrie a cessé.

MADAME SORBIN

Oui, il en faut un tout neuf ici, et l'heure est venue ; nous voici en place d'avoir justice, et de sortir de l'humilité ridicule qu'on nous a imposée depuis le commencement du monde : plutôt mourir que d'endurer plus longtemps nos affronts.

ARTHÉNICE

Fort bien, vous sentez-vous en effet un courage qui réponde à la dignité de votre emploi ?

MADAME SORBIN

Tenez, je me soucie aujourd'hui de la vie comme d'un fétu ; en un mot comme en cent, je me sacrifie, je l'entreprends. Madame Sorbin veut vivre dans l'histoire et non pas dans le monde.

ARTHÉNICE

Je vous garantis un nom immortel.

MADAME SORBIN

Nous, dans vingt mille ans, nous serons encore la nouvelle du jour.

ARTHÉNICE

Et quand même nous ne réussirions pas, nos petites-filles réussiront.

MADAME SORBIN

Je vous dis que les hommes n'en reviendront jamais. Au surplus, vous qui m'exhortez, il y a ici un certain Monsieur Timagène qui court après votre cœur ; court-il encore ? Ne l'a-t-il pas pris ? Ce serait là un furieux sujet de faiblesse humaine, prenez-y garde.

ARTHÉNICE

Qu'est-ce que c'est que Timagène, Madame Sorbin ? Je ne le connais plus depuis notre projet ; tenez ferme et ne songez qu'à m'imiter.

MADAME SORBIN

Qui ? moi ! Eh où est l'embarras ? Je n'ai qu'un mari, qu'est-ce que cela coûte à laisser ? ce n'est pas là une affaire de cœur.

ARTHÉNICE

Oh ! j'en conviens.

MADAME SORBIN

Ah çà ! vous savez bien que les hommes vont dans un moment s'assembler sous des tentes, afin d'y choisir entre eux deux hommes qui nous feront des lois ; on a battu le tambour pour convoquer l'assemblée.

ARTHÉNICE

Eh bien ?

MADAME SORBIN

Eh bien ? il n'y a qu'à faire battre le tambour aussi pour enjoindre à nos femmes d'avoir à mépriser les règlements de ces messieurs, et dresser tout de suite une belle et bonne ordonnance de séparation d'avec les hommes, qui ne se doutent encore de rien.

ARTHÉNICE

C'était mon idée, sinon qu'au lieu du tambour, je voulais faire afficher notre ordonnance à son de trompe.

MADAME SORBIN

Oui-da, la trompe est excellente et fort convenable.

ARTHÉNICE

Voici Timagène et votre mari qui passent sans nous voir.

MADAME SORBIN

C'est qu'apparemment ils vont se rendre au Conseil. Souhaitez-vous que nous les appelions ?

ARTHÉNICE

Soit, nous les interrogerons sur ce qui se passe. *(Elle appelle Timagène.)*

MADAME SORBIN *appelle aussi.*

Holà ! notre homme.

SCÈNE 2

Les acteurs précédents, Monsieur Sorbin, Timagène.

TIMAGÈNE

Ah ! pardon, belle Arthénice, je ne vous croyais pas si près.

MONSIEUR SORBIN

Qu'est-ce que c'est que tu veux, ma femme ? nous avons hâte.

MADAME SORBIN

Eh ! là, là, tout bellement, je veux vous voir, Monsieur Sorbin, bonjour ; n'avez-vous rien à me communiquer, par hasard ou autrement ?

MONSIEUR SORBIN

Non, que veux-tu que je te communique, si ce n'est le temps qu'il fait, ou l'heure qu'il est ?

ARTHÉNICE

Et vous, Timagène, que m'apprendrez-vous ? Parle-t-on des femmes parmi vous ?

TIMAGÈNE

Non, Madame, je ne sais rien qui les concerne ; on n'en dit pas un mot.

ARTHÉNICE

Pas un mot, c'est fort bien fait.

MADAME SORBIN

Patience, l'affiche vous réveillera.

MONSIEUR SORBIN

Que veux-tu dire avec ton affiche ?

MADAME SORBIN

Oh ! rien, c'est que je me parle.

ARTHÉNICE

Eh ! dites-moi, Timagène, où allez-vous tous deux d'un air si pensif ?

TIMAGÈNE

Au Conseil, où l'on nous appelle, et où la noblesse et tous les notables d'une part, et le peuple de l'autre, nous menacent, cet honnête homme et moi, de nous nommer pour travailler aux lois, et j'avoue que mon incapacité me fait déjà trembler.

MADAME SORBIN

Quoi, mon mari, vous allez faire des lois ?

MONSIEUR SORBIN

Hélas, c'est ce qui se publie, et ce qui me donne un grand souci.

MADAME SORBIN

Pourquoi, Monsieur Sorbin ? Quoique vous soyez massif et d'un naturel un peu lourd, je vous ai toujours connu un très bon gros jugement qui viendra fort bien dans cette affaire-ci ; et puis je me persuade que ces messieurs auront le bon esprit de demander des femmes pour les assister, comme de raison.

MONSIEUR SORBIN

Ah ! tais-toi avec tes femmes, il est bien question de rire !

MADAME SORBIN

Mais vraiment, je ne ris pas.

MONSIEUR SORBIN.

Tu deviens donc folle ?

MADAME SORBIN

Pardi, Monsieur Sorbin, vous êtes un petit élu du peuple bien impoli ; mais par bonheur, cela se passera avec une ordonnance, je dresserai des lois aussi, moi.

MONSIEUR SORBIN, *il rit.*

Toi ! hé ! hé ! hé ! hé !

TIMAGÈNE, *riant.*

Hé ! hé ! hé ! hé !...

ARTHÉNICE

Qu'y a-t-il donc là de si plaisant ? Elle a raison, elle en fera, j'en ferai moi-même.

TIMAGÈNE

Vous, Madame ?

MONSIEUR SORBIN, *riant.*

Des lois !

ARTHÉNICE

Assurément.

MONSIEUR SORBIN, *riant.*

Ah bien, tant mieux, faites, amusez-vous, jouez une farce ; mais gardez-nous votre drôlerie pour une autre fois, cela est trop bouffon pour le temps qui court.

TIMAGÈNE

Pourquoi ? La gaieté est toujours de saison.

ARTHÉNICE

La gaieté, Timagène ?

MADAME SORBIN

Notre drôlerie, Monsieur Sorbin ? Courage, on vous en donnera de la drôlerie.

MONSIEUR SORBIN

Laissons là ces rieuses, Seigneur Timagène, et allons-nous-en. Adieu, femme, grand merci de ton assistance.

ARTHÉNICE

Attendez, j'aurais une ou deux réflexions à communiquer à Monsieur l'Élu de la noblesse.

TIMAGÈNE

Parlez, Madame.

ARTHÉNICE

Un peu d'attention ; nous avons été obligés, grands et petits, nobles, bourgeois et gens du peuple, de quitter notre patrie pour éviter la mort ou pour fuir l'esclavage de l'ennemi qui nous a vaincus.

MONSIEUR SORBIN

Cela m'a l'air d'une harangue, remettons-la à tantôt, le loisir nous manque.

MADAME SORBIN

Paix, malhonnête.

TIMAGÈNE

Écoutons.

ARTHÉNICE

Nos vaisseaux nous ont portés dans ce pays sauvage, et le pays est bon.

MONSIEUR SORBIN

Nos femmes y babillent trop.

MADAME SORBIN, *en colère.*

Encore !

ARTHÉNICE

Le dessein est formé d'y rester, et comme nous y sommes tous arrivés pêle-mêle, que la fortune y est égale entre tous, que personne n'a droit d'y commander, et que tout y est en confusion, il faut des maîtres, il en faut un ou plusieurs, il faut des lois.

TIMAGÈNE

Hé, c'est à quoi nous allons pourvoir, Madame.

MONSIEUR SORBIN

Il va y avoir de tout cela en diligence, on nous attend pour cet effet.

ARTHÉNICE

Qui, nous ? Qui entendez-vous par nous ?

MONSIEUR SORBIN

Eh pardi, nous entendons, nous, ce ne peut pas être d'autres.

ARTHÉNICE

Doucement, ces lois, qui est-ce qui va les faire, de qui viendront-elles ?

MONSIEUR SORBIN, *en dérision.*

De nous.

MADAME SORBIN

Des hommes !

MONSIEUR SORBIN

Apparemment.

ARTHÉNICE

Ces maîtres, ou bien ce maître, de qui le tiendra-t-on ?

MADAME SORBIN, *en dérision.*

Des hommes.

MONSIEUR SORBIN

Eh ! apparemment.

ARTHÉNICE

Qui sera-t-il ?

MADAME SORBIN

Un homme.

MONSIEUR SORBIN

Eh ! qui donc ?

ARTHÉNICE

Et toujours des hommes et jamais de femmes, qu'en pensez-vous, Timagène ? car le gros jugement de votre adjoint ne va pas jusqu'à savoir ce que je veux dire.

TIMAGÈNE

J'avoue, Madame, que je n'entends pas bien la difficulté non plus.

ARTHÉNICE

Vous ne l'entendez pas ? Il suffit, laissez-nous.

MONSIEUR SORBIN, *à sa femme.*

Dis-nous donc ce que c'est.

MADAME SORBIN

Tu me le demandes, va-t'en.

TIMAGÈNE

Mais, Madame...

ARTHÉNICE

Mais, Monsieur, vous me déplaisez là.

MONSIEUR SORBIN, *à sa femme.*

Que veut-elle dire ?

MADAME SORBIN

Mais va porter ta face d'homme ailleurs.

MONSIEUR SORBIN

À qui en ont-elles ?

MADAME SORBIN

Toujours des hommes, et jamais de femmes, et ça ne nous entend pas.

MONSIEUR SORBIN

Eh bien, après ?

MADAME SORBIN

Hum ! Le butor, voilà ce qui est après.

TIMAGÈNE

Vous m'affligez, Madame, si vous me laissez partir sans m'instruire de ce qui vous indispose contre moi.

ARTHÉNICE

Partez, Monsieur, vous le saurez au retour de votre Conseil.

MADAME SORBIN

Le tambour vous dira le reste, ou bien le placard au son de la trompe.

MONSIEUR SORBIN

Fifre, trompe ou trompette, il ne m'importe guères ; allons, Monsieur Timagène.

TIMAGÈNE

Dans l'inquiétude où je suis, je reviendrai, Madame, le plus tôt qu'il me sera possible.

SCÈNE 3

Madame Sorbin, Arthénice.

ARTHÉNICE

C'est nous faire un nouvel outrage que de ne nous pas entendre.

MADAME SORBIN

C'est l'ancienne coutume d'être impertinent de père en fils, qui leur bouche l'esprit.

SCÈNE 4

Madame Sorbin, Arthénice, Lina, Persinet.

PERSINET

Je viens à vous, vénérable et future belle-mère ; vous m'avez promis la charmante Lina ; et je suis bien impatient d'être son époux ; je l'aime tant, que je ne saurais plus supporter l'amour sans le mariage.

ARTHÉNICE, *à Madame Sorbin.*

Écartez ce jeune homme, Madame Sorbin ; les circonstances présentes nous obligent de rompre avec toute son espèce.

MADAME SORBIN

Vous avez raison, c'est une fréquentation qui ne convient plus.

PERSINET

J'attends réponse.

MADAME SORBIN

Que faites-vous là, Persinet ?

PERSINET

Hélas ! je vous intercède, et j'accompagne ma nonpareille Lina.

MADAME SORBIN

Retournez-vous-en.

LINA

Qu'il s'en retourne ! eh ! d'où vient, ma mère ?

MADAME SORBIN

Je veux qu'il s'en aille, il le faut, le cas le requiert, il s'agit d'affaire d'État.

LINA

Il n'a qu'à nous suivre de loin.

PERSINET

Oui, je serai content de me tenir humblement derrière.

MADAME SORBIN

Non, point de façon de se tenir, je n'en accorde point ; écartez-vous, ne nous approchez pas jusqu'à la paix.

LINA

Adieu, Persinet, jusqu'au revoir ; n'obstinons point ma mère.

PERSINET

Mais qui est-ce qui a rompu la paix ? Maudite guerre, en attendant que tu finisses, je vais m'affliger tout à mon aise, en mon petit particulier.

SCÈNE 5

Arthénice, Madame Sorbin, Lina.

LINA

Pourquoi donc le maltraitez-vous, ma mère ? Est-ce que vous ne voulez plus qu'il m'aime, ou qu'il m'épouse ?

MADAME SORBIN

Non, ma fille, nous sommes dans une occurrence où l'amour n'est plus qu'un sot.

LINA

Hélas ! quel dommage !

ARTHÉNICE

Et le mariage, tel qu'il a été jusqu'ici, n'est plus aussi qu'une pure servitude que nous abolissons, ma belle enfant ; car il faut bien la mettre un peu au fait pour la consoler.

LINA

Abolir le mariage ! Eh ! que mettra-t-on à la place ?

MADAME SORBIN

Rien.

LINA

Cela est bien court.

ARTHÉNICE

Vous savez, Lina, que les femmes jusqu'ici ont toujours été soumises à leurs maris.

LINA

Oui, Madame, c'est une coutume qui n'empêche pas l'amour.

MADAME SORBIN

Je te défends l'amour.

LINA

Quand il y est, comment l'ôter ? Je ne l'ai pas pris ; c'est lui qui m'a prise, et puis je ne refuse pas la soumission.

MADAME SORBIN

Comment soumise, petite âme de servante, jour de Dieu ! soumise, cela peut-il sortir de la bouche d'une femme ? Que je ne vous entende plus proférer cette horreur-là, apprenez que nous nous révoltons.

ARTHÉNICE

Ne vous emportez point, elle n'a pas été de nos délibérations, à cause de son âge, mais je vous réponds d'elle, dès qu'elle sera instruite. Je vous assure qu'elle sera charmée d'avoir autant d'autorité que son mari dans son petit ménage, et quand il dira : Je veux, de pouvoir répliquer : Moi, je ne veux pas.

LINA, *pleurant.*

Je n'en aurai pas la peine ; Persinet et moi, nous voudrons toujours la même chose ; nous en sommes convenus entre nous.

MADAME SORBIN

Prends-y garde avec ton Persinet ; si tu n'as pas des sentiments plus relevés, je te retranche du noble corps des femmes ; reste avec ma camarade et moi pour apprendre à considérer ton importance ; et surtout qu'on supprime ces larmes qui font confusion à ta mère, et qui rabaissent notre mérite.

ARTHÉNICE

Je vois quelques-unes de nos amies qui viennent et qui paraissent avoir à nous parler, sachons ce qu'elles nous veulent.

SCÈNE 6

Arthénice, Madame Sorbin, Lina, quatre femmes, dont deux tiennent chacune un bracelet de ruban rayé.

UNE DES DÉPUTÉES

Vénérables compagnes, le sexe qui vous a nommées ses chefs, et qui vous a choisies pour le défendre, vient de juger à propos, dans une nouvelle délibération, de vous conférer des marques de votre dignité, et nous vous les apportons de sa part. Nous sommes chargées, en même temps, de vous jurer pour lui une entière obéissance, quand vous lui aurez juré entre nos mains une fidélité inviolable : deux articles essentiels auxquels on n'a pas songé d'abord.

ARTHÉNICE

Illustres députées, nous aurions volontiers supprimé le faste dont on nous pare. Il nous aurait suffi d'être ornées de nos vertus ; c'est à ces marques qu'on doit nous reconnaître.

MADAME SORBIN

N'importe, prenons toujours ; ce sera deux parures au lieu d'une.

ARTHÉNICE

Nous acceptons cependant la distinction dont on nous honore, et nous allons nous acquitter de nos serments, dont l'omission a été très judicieusement remarquée ; je commence. *(Elle met sa main dans celle d'une des députées.)* Je fais vœu de vivre pour soutenir les droits de mon sexe opprimé ; je consacre ma vie à sa gloire ; j'en jure par ma dignité de femme, par mon inexorable fierté de cœur, qui est un présent du ciel, il ne faut pas s'y tromper ; enfin par l'indocilité d'esprit que j'ai toujours eue dans mon mariage, et qui m'a préservée de l'affront d'obéir à feu mon bourru de mari, j'ai dit. À vous, Madame Sorbin.

MADAME SORBIN

Approchez, ma fille, écoutez-moi, et devenez à jamais célèbre, seulement pour avoir assisté à cette action si mémorable. *(Elle met sa main dans celle d'une des députées.)* Voici mes paroles : Vous irez de niveau avec les hommes ; ils seront vos camarades, et non pas vos maîtres. Madame vaudra partout Monsieur, ou je mourrai à la peine. J'en jure par le plus gros juron que je sache ; par cette tête de fer qui ne pliera jamais, et que personne jusqu'ici ne peut se vanter d'avoir réduite, il n'y a qu'à en demander des nouvelles.

UNE DES DÉPUTÉES

Écoutez, à présent, ce que toutes les femmes que nous représentons vous jurent à leur tour. On verra la fin du monde, la race des hommes s'éteindra avant que nous cessions d'obéir à vos ordres, voici déjà une de nos compagnes qui accourt pour vous reconnaître.

SCÈNE 7

Les députées, Arthénice, Madame Sorbin, Lina, une femme qui arrive.

LA FEMME

Je me hâte de venir rendre hommage à nos souveraines, et de me ranger sous leurs lois.

ARTHÉNICE

Embrassons-nous, mes amies ; notre serment mutuel vient de nous imposer de grands devoirs, et pour vous exciter à remplir les vôtres, je suis d'avis de vous retracer en ce moment une vive image de l'abaissement où nous avons langui jusqu'à ce jour ; nous ne ferons en cela que nous conformer à l'usage de tous les chefs de parti.

MADAME SORBIN

Cela s'appelle exhorter son monde avant la bataille.

ARTHÉNICE

Mais la décence veut que nous soyons assises, on en parle plus à son aise.

MADAME SORBIN

Il y a des bancs là-bas, il n'y a qu'à les approcher. *(À Lina.)* Allons, petite fille, alerte.

LINA

Je vois Persinet qui passe, il est plus fort que moi, et il m'aidera, si vous voulez.

UNE DES FEMMES

Quoi ! Nous emploierions un homme ?

ARTHÉNICE

Pourquoi non ? Que cet homme nous serve, j'en accepte l'augure.

MADAME SORBIN

C'est bien dit ; dans l'occurrence présente, cela nous portera bonheur. *(À Lina.)* Appelez-nous ce domestique.

LINA *appelle.*

Persinet ! Persinet !

SCÈNE 8

Tous les acteurs précédents, Persinet.

PERSINET *accourt.*

Qu'y a-t-il, mon amour ?

LINA

Aidez-moi à pousser ces bancs jusqu'ici.

PERSINET

Avec plaisir, mais n'y touchez pas, vos petites mains sont trop délicates, laissez-moi faire.

Il avance les bancs, Arthénice et Madame Sorbin, après quelques civilités, s'assoient les premières ; Persinet et Lina s'assoient tous deux au même bout.

ARTHÉNICE, *à Persinet.*

J'admire la liberté que vous prenez, petit garçon, ôtez-vous de là, on n'a plus besoin de vous.

MADAME SORBIN

Votre service est fait, qu'on s'en aille.

LINA

Il ne tient presque pas de place, ma mère, il n'a que la moitié de la mienne.

MADAME SORBIN

À la porte, vous dit-on.

PERSINET

Voilà qui est bien dur !

SCÈNE 9

Les femmes susdites.

ARTHÉNICE, *après avoir toussé et craché.*

L'oppression dans laquelle nous vivons sous nos tyrans, pour être si ancienne, n'en est pas devenue plus raisonnable ; n'attendons pas que les hommes se corrigent d'eux-mêmes ; l'insuffisance de leurs lois a beau les punir de les avoir faites à leur tête et sans nous, rien ne les ramène à la justice qu'ils nous doivent, ils ont oublié qu'ils nous la refusent.

MADAME SORBIN

Aussi le monde va, il n'y a qu'à voir.

ARTHÉNICE

Dans l'arrangement des affaires, il est décidé que nous n'avons pas le sens commun, mais tellement décidé que cela va tout seul, et que nous n'en appelons pas nous-mêmes.

UNE DES FEMMES

Hé ! que voulez-vous ? On nous crie dès le berceau : Vous n'êtes capables de rien, ne vous mêlez de rien, vous n'êtes bonnes à rien qu'à être sages. On l'a dit à nos mères qui l'ont cru, qui nous le répètent ; on a les oreilles rebattues de ces mauvais propos ; nous sommes douces, la paresse s'en mêle, on nous mène comme des moutons.

MADAME SORBIN

Oh ! pour moi, je ne suis qu'une femme, mais depuis que j'ai l'âge de raison, le mouton n'a jamais trouvé cela bon.

ARTHÉNICE

Je ne suis qu'une femme, dit Madame Sorbin, cela est admirable !

MADAME SORBIN

Cela vient encore de cette moutonnerie.

ARTHÉNICE

Il faut qu'il y ait en nous une défiance bien louable de nos lumières pour avoir adopté ce jargon-là ; qu'on me trouve des hommes qui en disent autant d'eux ; cela les passe ; revenons au vrai pourtant :

vous n'êtes qu'une femme, dites-vous ? Hé ! que voulez-vous donc être pour être mieux ?

MADAME SORBIN

Eh ! je m'y tiens, Mesdames, je m'y tiens, c'est nous qui avons le mieux, et je bénis le ciel de m'en avoir fait participante, il m'a comblé d'honneurs, et je lui en rends des grâces nonpareilles.

UNE DES FEMMES

Hélas ! cela est bien juste.

ARTHÉNICE

Pénétrons-nous donc un peu de ce que nous valons, non par orgueil, mais par reconnaissance.

LINA

Ah ! si vous entendiez Persinet la-dessus, c'est lui qui est pénétré suivant nos mérites.

UNE DES FEMMES

Persinet n'a que faire ici ; il est indécent de le citer.

MADAME SORBIN

Paix, petite fille, point de langue ici, rien que des oreilles ; excusez, Mesdames ; poursuivez, la camarade.

ARTHÉNICE

Examinons ce que nous sommes, et arrêtez-moi, si j'en dis trop ; qu'est-ce qu'une femme, seulement à la voir ? En vérité, ne dirait-on pas que les dieux en ont fait l'objet de leurs plus tendres complaisances ?

UNE DES FEMMES

Plus j'y rêve, et plus j'en suis convaincue.

UNE DES FEMMES

Cela est incontestable.

UNE AUTRE FEMME

Absolument incontestable.

UNE AUTRE FEMME

C'est un fait.

ARTHÉNICE

Regardez-la, c'est le plaisir des yeux.

UNE FEMME

Dites les délices.

ARTHÉNICE

Souffrez que j'achève.

UNE FEMME

N'interrompons point.

UNE AUTRE FEMME.

Oui, écoutons.

UNE AUTRE FEMME

Un peu de silence.

UNE AUTRE FEMME

C'est notre chef qui parle.

UNE AUTRE FEMME

Et qui parle bien.

LINA

Pour moi, je ne dis mot.

MADAME SORBIN

Se taira-t-on ? car cela m'impatiente !

ARTHÉNICE

Je recommence : regardez-la, c'est le plaisir des yeux ; les grâces et la beauté, déguisées sous toutes sortes de formes, se disputent à qui versera le plus de charmes sur son visage et sur sa figure. Eh ! qui est-ce qui peut définir le nombre et la variété de ces charmes ? Le sentiment les saisit, nos expressions n'y sauraient atteindre. *(Toutes les femmes se redres-*

sent ici. Arthénice continue.) La femme a l'air noble, et cependant son air de douceur enchante. *(Les femmes ici prennent un air doux.)*

UNE FEMME

Nous voilà.

MADAME SORBIN

Chut !

ARTHÉNICE

C'est une beauté fière, et pourtant une beauté mignarde ; elle imprime un respect qu'on n'ose perdre, si elle ne s'en mêle ; elle inspire un amour qui ne saurait se taire ; dire qu'elle est belle, qu'elle est aimable, ce n'est que commencer son portrait ; dire que sa beauté surprend, qu'elle occupe, qu'elle attendrit, qu'elle ravit, c'est dire, à peu près, ce qu'on en voit, ce n'est pas effleurer ce qu'on en pense.

MADAME SORBIN

Et ce qui est encore incomparable, c'est de vivre avec toutes ces belles choses-là, comme si de rien n'était ; voilà le surprenant, mais ce que j'en dis n'est pas pour interrompre, paix !

ARTHÉNICE

Venons à l'esprit, et voyez combien le nôtre a paru redoutable à nos tyrans ; jugez-en par les précautions qu'ils ont prises pour l'étouffer, pour nous empêcher d'en faire usage ; c'est à filer, c'est à la quenouille, c'est à l'économie de leur maison, c'est au misérable tracas d'un ménage, enfin c'est à faire des nœuds, que ces messieurs nous condamnent.

UNE FEMME

Véritablement, cela crie vengeance.

ARTHÉNICE

Ou bien, c'est à savoir prononcer sur des ajustements, c'est à les réjouir dans leurs soupers, c'est à leur inspirer d'agréables passions, c'est à régner dans la bagatelle, c'est à n'être nous-mêmes que la première de toutes les bagatelles ; voilà toutes les fonctions qu'ils nous laissent ici-bas ; à nous qui les avons polis, qui leur avons donné des mœurs, qui avons corrigé la férocité de leur âme ; à nous, sans qui la terre ne serait qu'un séjour de sauvages, qui ne mériteraient pas le nom d'hommes.

UNE DES FEMMES

Ah ! les ingrats ; allons, Mesdames ; supprimons les soupers dès ce jour.

UNE AUTRE

Et pour des passions, qu'ils en cherchent.

MADAME SORBIN

En un mot comme en cent, qu'ils filent à leur tour.

ARTHÉNICE

Il est vrai qu'on nous traite de charmantes, que nous sommes des astres, qu'on nous distribue des teints de lis et de roses, qu'on nous chante dans des vers, où le soleil insulté pâlit de honte à notre aspect, et, comme vous voyez, cela est considérable ; et puis les transports, les extases, les désespoirs dont on nous régale, quand il nous plaît.

MADAME SORBIN

Vraiment, c'est de la friandise qu'on donne à ces enfants.

UNE AUTRE FEMME

Friandise, dont il y a plus de six mille ans que nous vivons.

ARTHÉNICE

Eh ! qu'en arrive-t-il ? que par simplicité nous nous entêtons du vil honneur de leur plaire, et que nous nous amusons bonnement à être coquettes, car nous le sommes, il en faut convenir.

UNE FEMME

Est-ce notre faute ? Nous n'avons que cela à faire.

ARTHÉNICE

Sans doute ; mais ce qu'il y a d'admirable, c'est que la supériorité de notre âme est si invincible, si opiniâtre, qu'elle résiste à tout ce que je dis là, c'est qu'elle éclate et perce encore à travers cet avilissement où nous tombons ; nous sommes coquettes, d'accord, mais notre coquetterie même est un prodige.

UNE FEMME

Oh ! tout ce qui part de nous est parfait.

ARTHÉNICE

Quand je songe à tout le génie, toute la sagacité, toute l'intelligence que chacune de nous y met en se jouant, et que nous ne pouvons mettre que là, cela est immense ; il y entre plus de profondeur d'esprit qu'il n'en faudrait pour gouverner deux mondes comme le nôtre, et tant d'esprit est en pure perte.

MADAME SORBIN, *en colère.*

Ce monde-ci n'y gagne rien ; voilà ce qu'il faut pleurer.

ARTHÉNICE

Tant d'esprit n'aboutit qu'à renverser de petites cervelles qui ne sauraient le soutenir, et qu'à nous procurer de sots compliments, que leurs vices et leur démence, et non pas leur raison, nous prodiguent ; leur raison ne nous a jamais dit que des injures.

MADAME SORBIN

Allons, point de quartier ; je fais vœu d'être laide, et notre première ordonnance sera que nous tâchions de l'être toutes. *(À Arthénice.)* N'est-ce pas, camarade ?

ARTHÉNICE

J'y consens.

UNE DES FEMMES

D'être laides ? Il me paraît à moi, que c'est prendre à gauche.

UNE AUTRE FEMME

Je ne serai jamais de cet avis-là, non plus.

UNE AUTRE FEMME

Eh ! mais qui est-ce qui pourrait en être ? Quoi ! s'enlaidir exprès pour se venger des hommes ? Eh ! tout au contraire, embellissons-nous, s'il est possible, afin qu'ils nous regrettent davantage.

UNE AUTRE FEMME

Oui, afin qu'ils soupirent plus que jamais à nos genoux, et qu'ils meurent de douleur de se voir rebutés ; voilà ce qu'on appelle une indignation de bon sens, et vous êtes dans le faux, Madame Sorbin, tout à fait dans le faux.

MADAME SORBIN

Ta, ta, ta, ta, je t'en réponds, embellissons-nous pour retomber ; de vingt galants qui se meurent à nos genoux, il n'y en a quelquefois pas un qu'on ne réchappe, d'ordinaire on les sauve tous ; ces mourants-là nous gagnent trop, je connais bien notre humeur, et notre ordonnance tiendra ; on se rendra laide ; au surplus ce ne sera pas si grand dommage, Mesdames, et vous n'y perdrez pas plus que moi.

UNE FEMME

Oh ! doucement, cela vous plaît à dire, vous ne jouez pas gros jeu ; vous, votre affaire est bien avancée.

UNE AUTRE

Il n'est pas étonnant que vous fassiez si bon marché de vos grâces.

UNE AUTRE

On ne vous prendra jamais pour un astre.

LINA

Tredame [1], ni vous non plus pour une étoile.

UNE FEMME

Tenez, ce petit étourneau, avec son caquet.

MADAME SORBIN

Ah ! pardi, me voilà bien ébahie ; eh ! dites donc, vous autres pimbêches, est-ce que vous croyez être jolies ?

1. Pour Notre-Dame ; juron atténué.

UNE AUTRE

Eh ! mais, si nous vous ressemblons, qu'est-il besoin de s'enlaidir ? Par où s'y prendre ?

UNE AUTRE

Il est vrai que la Sorbin en parle bien à son aise.

MADAME SORBIN

Comment donc, la Sorbin ? m'appeler la Sorbin ?

LINA

Ma mère, une Sorbin !

MADAME SORBIN

Qui est-ce qui sera donc madame ici ; me perdre le respect de cette manière ?

ARTHÉNICE, *à l'autre femme.*

Vous avez tort, ma bonne, et je trouve le projet de Madame Sorbin très sage.

UNE FEMME

Ah, je le crois ; vous n'y avez pas plus d'intérêt qu'elle.

ARTHÉNICE

Qu'est-ce que cela signifie ? M'attaquer moi-même ?

MADAME SORBIN

Mais voyez ces guenons, avec leur vision de beauté ; oui, Madame Arthénice et moi, qui valons mieux que vous, voulons, ordonnons et prétendons qu'on s'habille mal, qu'on se coiffe de travers, et qu'on se noircisse le visage au soleil.

ARTHÉNICE

Et pour contenter ces femmes-ci, notre édit n'exceptera qu'elles, il leur sera permis de s'embellir, si elles le peuvent.

MADAME SORBIN

Ah ! que c'est bien dit ; oui, gardez tous vos affiquets, corsets, rubans, avec vos mines et vos simagrées qui font rire, avec vos petites mules ou pantoufles, où l'on écrase un pied qui n'y saurait loger, et qu'on veut rendre mignon en dépit de sa taille, parez-vous, parez-vous, il n'y a pas de conséquence.

UNE DES FEMMES

Juste ciel ! qu'elle est grossière ! N'a-t-on pas fait là un beau choix ?

ARTHÉNICE

Retirez-vous ; vos serments vous lient, obéissez ; je romps la séance.

UNE DES FEMMES

Obéissez ? voilà de grands airs.

UNE DES FEMMES

Il n’y a qu’à se plaindre, il faut crier.

TOUTES LES FEMMES

Oui, crions, crions, représentons [1].

MADAME SORBIN

J’avoue que les poings me démangent.

ARTHÉNICE

Retirez-vous, vous dis-je, ou je vous ferai mettre aux arrêts.

UNE DES FEMMES, *en s’en allant avec les autres.*

C’est votre faute, Mesdames, je ne voulais ni de cette artisane, ni de cette princesse, je n’en voulais pas, mais l’on ne m’a pas écoutée.

SCÈNE 10

Arthénice, Madame Sorbin, Lina.

LINA

Hélas ! ma mère, pour apaiser tout, laissez-nous garder nos mules et nos corsets.

1. Objectons.

MADAME SORBIN

Tais-toi, je t'habillerai d'un sac si tu me raisonnes.

ARTHÉNICE

Modérons-nous, ce sont des folles ; nous avons une ordonnance à faire, allons la tenir prête.

MADAME SORBIN

Partons ; *(à Lina)* et toi, attends ici que les hommes sortent de leur Conseil, ne t'avise pas de parler à Persinet s'il venait, au moins ; me le promets-tu ?

LINA

Mais... oui, ma mère.

MADAME SORBIN

Et viens nous avertir dès que des hommes paraîtront, tout aussitôt.

SCÈNE 11

Lina, un moment seule ; Persinet.

LINA

Quel train ! Quel désordre ! Quand me mariera-t-on à cette heure ? Je n'en sais plus rien.

PERSINET

Eh bien, Lina, ma chère Lina, contez-moi mon désastre ; d'où vient que Madame Sorbin me chasse ? J'en suis encore tout tremblant, je n'en puis plus, je me meurs.

LINA

Hélas ! ce cher petit homme, si je pouvais lui parler dans son affliction.

PERSINET

Eh bien ! vous le pouvez, je ne suis pas ailleurs.

LINA

Mais on me l'a défendu, on ne veut pas seulement que je le regarde, et je suis sûre qu'on m'épie.

PERSINET

Quoi ! me retrancher vos yeux ?

LINA

Il est vrai qu'il peut me parler, lui, on ne m'a pas ordonné de l'en empêcher.

PERSINET

Lina, ma Lina, pourquoi me mettez-vous à une lieue d'ici ? Si vous n'avez pas compassion de moi, je n'ai pas longtemps à vivre ; il me faut même actuellement un coup d'œil pour me soutenir.

LINA

Si pourtant, dans l'occurrence, il n'y avait qu'un regard qui pût sauver mon Persinet, oh ! ma mère aurait beau dire, je ne le laisserais pas mourir.

Elle le regarde.

PERSINET

Ah ! le bon remède ! je sens qu'il me rend la vie ; répétez, m'amour, encore un tour de prunelle pour me remettre tout à fait.

LINA

Et s'il ne suffisait pas d'un regard, je lui en donnerais deux, trois, tant qu'il faudrait.

Elle le regarde.

PERSINET

Ah ! me voilà un peu revenu ; dites-moi le reste à présent ; mais parlez-moi de plus près et non pas en mon absence.

LINA

Persinet ne sait pas que nous sommes révoltées.

PERSINET

Révoltées contre moi ?

LINA

Et que ce sont les affaires d'État qui nous sont contraires.

PERSINET

Eh ! de quoi se mêlent-elles ?

LINA

Et que les femmes ont résolu de gouverner le monde et de faire des lois.

PERSINET

Est-ce moi qui les en empêche ?

LINA

Il ne sait pas qu'il va tout à l'heure nous être enjoint de rompre avec les hommes.

PERSINET

Mais non pas avec les garçons ?

LINA

Qu'il sera enjoint d'être laides et mal faites avec eux, de peur qu'ils n'aient du plaisir à nous voir, et le tout par le moyen d'un placard au son de la trompe.

PERSINET

Et moi je défie toutes les trompes et tous les placards du monde de vous empêcher d'être jolie.

LINA

De sorte que je n'aurai plus ni mules, ni corset, que ma coiffure ira de travers et que je serai peut-être habillée d'un sac ; voyez à quoi je ressemblerai.

PERSINET

Toujours à vous, mon petit cœur.

LINA

Mais voilà les hommes qui sortent, je m'enfuis pour avertir ma mère. Ah ! Persinet ! Persinet ! *(Elle fuit.)*

PERSINET

Attendez donc, j'y suis ; ah ! maudites lois, faisons ma plainte à ces messieurs.

SCÈNE 12

Monsieur Sorbin, Hermocrate, Timagène, un autre homme, Persinet.

HERMOCRATE

Non, seigneur Timagène, nous ne pouvons pas mieux choisir ; le peuple n'a pas hésité sur Monsieur Sorbin, le reste des citoyens n'a eu qu'une voix pour vous, et nous sommes en de bonnes mains.

PERSINET

Messieurs, permettez l'importunité : je viens à vous, Monsieur Sorbin ; les affaires d'État me coupent la gorge, je suis abîmé ; vous croyez que vous aurez un gendre et c'est ce qui vous trompe ; Madame Sorbin m'a cassé tout net jusqu'à la paix ; on vous casse aussi, on ne veut plus des personnes de notre étoffe, toute face d'homme est bannie ; on va nous retrancher à son de trompe, et je vous demande votre protection contre un tumulte.

MONSIEUR SORBIN

Que voulez-vous dire, mon fils ? Qu'est-ce que c'est qu'un tumulte ?

PERSINET

C'est une émeute, une ligue, un tintamarre, un charivari sur le gouvernement du royaume ; vous saurez que les femmes se sont mises tout en un tas [1] pour être laides, elles vont quitter les pantoufles, on parle même de changer de robes, de se vêtir d'un sac, et de porter les cornettes de côté pour nous déplaire ; j'ai vu préparer un grand colloque, j'ai moi-même approché les bancs pour la commodité de la conversation ; je voulais m'y asseoir, on m'a chassé comme un gredin ; le monde va périr, et le tout à cause de vos lois, que ces braves dames veulent faire en communauté avec vous, et dont je vous

1. D'après Littré, se mettre en un peloton.

conseille de leur céder la moitié de la façon, comme cela est juste.

TIMAGÈNE

Ce qu'il nous dit est-il possible ?

PERSINET

Qu'est-ce que c'est que des lois ? Voilà une belle bagatelle en comparaison de la tendresse des dames !

HERMOCRATE

Retirez-vous, jeune homme.

PERSINET

Quel vertigo prend-il donc à tout le monde ? De quelque côté que j'aille, on me dit partout : Va-t'en ; je n'y comprends rien.

MONSIEUR SORBIN

Voilà donc ce qu'elles voulaient dire tantôt ?

TIMAGÈNE

Vous le voyez.

HERMOCRATE

Heureusement, l'aventure est plus comique que dangereuse.

UN AUTRE HOMME

Sans doute.

MONSIEUR SORBIN

Ma femme est têtue, et je gage qu'elle a tout ameuté ; mais attendez-moi là ; je vais voir ce que c'est, et je mettrai bon ordre à cette folie-là ; quand j'aurai pris mon ton de maître, je vous fermerai le bec à cela ; ne vous écartez pas, Messieurs. *(Il sort par un côté.)*

TIMAGÈNE

Ce qui me surprend, c'est qu'Arthénice se soit mise de la partie.

SCÈNE 13

Timagène, Hermocrate, l'autre homme, Persinet, Arthénice, Madame Sorbin, une femme avec un tambour, et Lina, tenant une affiche.

ARTHÉNICE

Messieurs, daignez répondre à notre question ; vous allez faire des règlements pour la république, n'y travaillerons-nous pas de concert ? À quoi nous destinez-vous là-dessus ?

HERMOCRATE

À rien, comme à l'ordinaire.

UN AUTRE HOMME

C'est-à-dire à vous marier quand vous serez filles, à obéir à vos maris quand vous serez femmes, et à veiller sur votre maison : on ne saurait vous ôter cela, c'est votre lot.

MADAME SORBIN

Est-ce là votre dernier mot ? Battez tambour ; *(et à Lina)* et vous, allez afficher l'ordonnance à cet arbre. *(On bat le tambour et Lina affiche.)*

HERMOCRATE

Mais, qu'est-ce que c'est que cette mauvaise plaisanterie-là ? Parlez-leur donc, seigneur Timagène, sachez de quoi il est question.

TIMAGÈNE

Voulez-vous bien vous expliquer, Madame ?

MADAME SORBIN

Lisez l'affiche, l'explication y est.

ARTHÉNICE

Elle vous apprendra que nous voulons nous mêler de tout, être associées à tout, exercer avec vous tous les emplois, ceux de finance, de judicature et d'épée.

HERMOCRATE

D'épée, Madame ?

ARTHÉNICE

Oui d'épée, Monsieur ; sachez que jusqu'ici nous n'avons été poltronnes que par éducation.

MADAME SORBIN

Mort de ma vie ! qu'on nous donne des armes, nous serons plus méchantes que vous ; je veux que dans un mois, nous maniions le pistolet comme un éventail : je tirai ces jours passés sur un perroquet, moi qui vous parle.

ARTHÉNICE

Il n'y a que de l'habitude à tout.

MADAME SORBIN

De même qu'au Palais à tenir l'audience, à être Présidente, Conseillère, Intendante, Capitaine ou Avocate.

UN HOMME

Des femmes avocates ?

MADAME SORBIN

Tenez donc, c'est que nous n'avons pas la langue assez bien pendue, n'est-ce pas ?

ARTHÉNICE

Je pense qu'on ne nous disputera pas le don de la parole.

HERMOCRATE

Vous n'y songez pas, la gravité de la magistrature et la décence du barreau ne s'accorderaient jamais avec un bonnet carré sur une cornette[1]...

ARTHÉNICE

Et qu'est-ce que c'est qu'un bonnet carré, Messieurs ? Qu'a-t-il de plus important qu'une autre coiffure ? D'ailleurs, il n'est pas de notre bail non plus que votre Code ; jusqu'ici c'est votre justice et non pas la nôtre ; justice qui va comme il plaît à nos beaux yeux, quand ils veulent s'en donner la peine, et si nous avons part à l'institution des lois, nous verrons ce que nous ferons de cette justice-là, aussi bien que du bonnet carré, qui pourrait bien devenir octogone si on nous fâche ; la veuve ni l'orphelin n'y perdront rien.

UN HOMME

Et ce ne sera pas la seule coiffure que nous tiendrons de vous...

MADAME SORBIN

Ah ! la belle pointe d'esprit ; mais finalement, il n'y a rien à rabattre, sinon lisez notre édit, votre congé est au bas de la page.

1. Coiffure de femme.

HERMOCRATE

Seigneur Timagène, donnez vos ordres, et délivrez-nous de ces criailleries.

TIMAGÈNE

Madame...

ARTHÉNICE

Monsieur, je n'ai plus qu'un mot à dire, profitez-en ; il n'y a point de nation qui ne se plaigne des défauts de son gouvernement ; d'où viennent-ils, ces défauts ? C'est que notre esprit manque à la terre dans l'institution de ses lois, c'est que vous ne faites rien de la moitié de l'esprit humain que nous avons, et que vous n'employez jamais que la vôtre, qui est la plus faible.

MADAME SORBIN

Voilà ce que c'est, faute d'étoffe l'habit est trop court.

ARTHÉNICE

C'est que le mariage qui se fait entre les hommes et nous devrait aussi se faire entre leurs pensées et les nôtres ; c'était l'intention des dieux, elle n'est pas remplie, et voilà la source de l'imperfection des lois ; l'univers en est la victime et nous le servons en vous résistant. J'ai dit ; il serait inutile de me répondre, prenez votre parti, nous vous donnons encore une heure, après quoi la séparation est sans retour, si vous ne vous rendez pas ; suivez-moi, Madame Sorbin, sortons.

MADAME SORBIN, *en sortant.*

Notre part d'esprit salue la vôtre.

SCÈNE 14

Monsieur Sorbin rentre quand elles sortent ; tous les acteurs précédents, Persinet.

MONSIEUR SORBIN, *arrêtant Madame Sorbin.*

Ah ! je vous trouve donc, Madame Sorbin, je vous cherchais.

ARTHÉNICE

Finissez avec lui ; je vous reviens prendre dans le moment.

MONSIEUR SORBIN, *à Madame Sorbin.*

Vraiment, je suis très charmé de vous voir, et vos déportements sont tout à fait divertissants.

MADAME SORBIN

Oui, vous font-ils plaisir, Monsieur Sorbin ? Tant mieux, je n'en suis encore qu'au préambule.

MONSIEUR SORBIN

Vous avez dit à ce garçon que vous ne prétendiez plus fréquenter les gens de son étoffe ; apprenez-nous un peu la raison que vous entendez par là.

MADAME SORBIN

Oui-da, j'entends tout ce qui vous ressemble, Monsieur Sorbin.

MONSIEUR SORBIN

Comment dites-vous cela, Madame la cornette ?

MADAME SORBIN

Comme je le pense et comme cela tiendra, Monsieur le chapeau.

TIMAGÈNE

Doucement, Madame Sorbin ; sied-il bien à une femme aussi sensée que vous l'êtes de perdre jusque-là les égards qu'elle doit à son mari ?

MADAME SORBIN

À l'autre, avec son jargon d'homme ! C'est justement parce que je suis sensée que cela se passe ainsi. Vous dites que je lui dois, mais il me doit de même ; quand il me paiera, je le paierai, c'est de quoi je venais l'accuser exprès.

PERSINET

Eh bien, payez, Monsieur Sorbin, payez, payons tous.

MONSIEUR SORBIN

Cette effrontée !

HERMOCRATE

Vous voyez bien que cette entreprise ne saurait se soutenir.

MADAME SORBIN

Le courage nous manquera peut-être ? Oh ! que nenni, nos mesures sont prises, tout est résolu, nos paquets sont faits.

TIMAGÈNE

Mais où irez-vous ?

MADAME SORBIN

Toujours tout droit. De quoi vivrez-vous ? De fruits, d'herbes, de racines, de coquillages, de rien ; s'il faut, nous pêcherons, nous chasserons, nous deviendrons sauvages, et notre vie finira avec honneur et gloire, et non pas dans l'humilité ridicule où l'on veut tenir des personnes de notre excellence.

PERSINET

Et qui font le sujet de mon admiration.

HERMOCRATE

Cela va jusqu'à la fureur. *(À Monsieur Sorbin.)* Répondez-lui donc.

MONSIEUR SORBIN

Que voulez-vous ? C'est une rage que cela, mais revenons au bon sens ; savez-vous, Madame Sorbin, de quel bois je me chauffe ?

MADAME SORBIN

Eh là ! le pauvre homme avec son bois, c'est bien à lui parler de cela ; quel radotage !

MONSIEUR SORBIN

Du radotage ! à qui parlez-vous, s'il vous plaît ? Ne suis-je pas l'élu du peuple ? Ne suis-je pas votre mari, votre maître, et le chef de la famille ?

MADAME SORBIN

Vous êtes, vous êtes... Est-ce que vous croyez me faire trembler avec le catalogue de vos qualités que je sais mieux que vous ? Je vous conseille de crier gare ; tenez, ne dirait-on pas qu'il est juché sur l'arc-en-ciel ? Vous êtes l'élu des hommes, et moi l'élue des femmes ; vous êtes mon mari, je suis votre femme ; vous êtes le maître, et moi la maîtresse ; à l'égard du chef de famille, allons bellement, il y a deux chefs ici, vous êtes l'un, et moi l'autre, partant quitte à quitte.

PERSINET

Elle parle d'or, en vérité.

MONSIEUR SORBIN

Cependant, le respect d'une femme...

MADAME SORBIN

Cependant le respect est un sot ; finissons, Monsieur Sorbin, qui êtes élu, mari, maître et chef de famille ; tout cela est bel et bon ; mais écoutez-moi pour la dernière fois, cela vaut mieux : nous disons que le monde est une ferme, les dieux là-haut en sont les seigneurs, et vous autres hommes, depuis que la vie dure, en avez toujours été les fermiers tout seuls, et cela n'est pas juste, rendez-nous notre part de la ferme ; gouvernez, gouvernons ; obéissez, obéissons ; partageons le profit et la perte ; soyons maîtres et valets en commun ; faites ceci, ma femme ; faites ceci, mon homme ; voilà comme il faut dire, voilà le moule où il faut jeter les lois, nous le voulons, nous le prétendons, nous y sommes butées ; ne le voulez-vous pas ? Je vous annonce, et vous signifie en ce cas, que votre femme, qui vous aime, que vous devez aimer, qui est votre compagne, votre bonne amie et non pas votre petite servante, à moins que vous ne soyez son petit serviteur, je vous signifie que vous ne l'avez plus, qu'elle vous quitte, qu'elle rompt ménage et vous remet la clef du logis ; j'ai parlé pour moi ; ma fille, que je vois là-bas et que je vais appeler, va parler pour elle. Allons, Lina, approchez, j'ai fait mon office, faites le vôtre, dites votre avis sur les affaires du temps.

SCÈNE 15

Les hommes et les femmes susdits, Persinet, Lina.

LINA

Ma chère mère, mon avis...

TIMAGÈNE

La pauvre enfant tremble de ce que vous lui faites faire.

MADAME SORBIN

Vous en dites la raison, c'est que ce n'est qu'une enfant : courage, ma fille, prononcez bien et parlez haut.

LINA

Ma chère mère, mon avis, c'est, comme vous l'avez dit, que nous soyons dames et maîtresses par égale portion avec ces messieurs ; que nous travaillions comme eux à la fabrique des lois, et puis qu'on tire, comme on dit, à la courte paille pour savoir qui de nous sera roi ou reine ; sinon, que chacun s'en aille de son côté, nous à droite, eux à gauche, du mieux qu'on pourra. Est-ce là tout, ma mère ?

MADAME SORBIN

Vous oubliez l'article de l'amant ?

LINA

C'est que c'est le plus difficile à retenir ; votre avis est encore que l'amour n'est plus qu'un sot.

MADAME SORBIN

Ce n'est pas mon avis qu'on vous demande, c'est le vôtre.

LINA

Hélas ! le mien serait d'emmener mon amant et son amour avec nous.

PERSINET

Voyez la bonté de cœur, le beau naturel pour l'amour.

LINA

Oui, mais on m'a commandé de vous déclarer un adieu dont on ne verra ni le bout ni la fin.

PERSINET

Miséricorde !

MONSIEUR SORBIN

Que le ciel nous assiste ; en bonne foi, est-ce là un régime de vie, notre femme ?

MADAME SORBIN

Allons, Lina, faites la dernière révérence à Monsieur Sorbin, que nous ne connaissons plus, et retirons-nous sans retourner la tête. *(Elles s'en vont.)*

SCÈNE 16

Tous les acteurs précédents.

PERSINET

Voilà une départie qui me procure la mort, je n'irai jamais jusqu'au souper.

HERMOCRATE

Je crois que vous avez envie de pleurer, Monsieur Sorbin ?

MONSIEUR SORBIN

Je suis plus avancé que cela, seigneur Hermocrate, je contente mon envie.

PERSINET

Si vous voulez voir de belles larmes et d'une belle grosseur, il n'y a qu'à regarder les miennes.

MONSIEUR SORBIN

J'aime ces extravagantes-là plus que je ne pensais ; il faudrait battre, et ce n'est pas ma manière de coutume.

TIMAGÈNE

J'excuse votre attendrissement.

PERSINET

Qui est-ce qui n'aime pas le beau sexe ?

HERMOCRATE

Laissez-nous, petit homme.

PERSINET

C'est vous qui êtes le plus mutin de la bande, seigneur Hermocrate ; car voilà Monsieur Sorbin qui est le meilleur acabit d'homme ; voilà moi qui m'afflige à faire plaisir ; voilà le seigneur Timagène qui le trouve bon ; personne n'est tigre, il n'y a que vous ici qui portiez des griffes, et sans vous, nous partagerions la ferme.

HERMOCRATE

Attendez, Messieurs, on en viendra à un accommodement, si vous le souhaitez, puisque les partis violents vous déplaisent ; mais il me vient une idée, voulez-vous vous en fier à moi ?

TIMAGÈNE

Soit, agissez, nous vous donnons nos pouvoirs.

MONSIEUR SORBIN

Et même ma charge avec, si on me le permet.

HERMOCRATE

Courez, Persinet, rappelez-les, hâtez-vous, elles ne sont pas loin.

PERSINET

Oh ! pardi, j'irai comme le vent, je saute comme un cabri.

HERMOCRATE

Ne manquez pas aussi de m'apporter ici tout à l'heure une petite table et de quoi écrire.

PERSINET

Tout subitement.

TIMAGÈNE

Voulez-vous que nous nous retirions ?

HERMOCRATE

Oui, mais comme nous avons la guerre avec les sauvages de cette île, revenez tous deux dans quelques moments nous dire qu'on les voit descendre en grand nombre de leurs montagnes et qu'ils viennent nous attaquer, rien que cela. Vous pouvez aussi amener avec vous quelques hommes qui porteront des armes, que vous leur présenterez pour le combat.

Persinet revient avec une table, où il y a de l'encre, du papier et une plume.

PERSINET, *posant la table.*

Ces belles personnes me suivent, et voilà pour vos écritures, Monsieur le notaire ; tâchez de nous griffonner le papier sur ce papier.

TIMAGÈNE

Sortons.

SCÈNE 17

Hermocrate, Arthénice, Madame Sorbin.

HERMOCRATE, *à Arthénice.*

Vous l'emportez, Madame, vous triomphez d'une résistance qui nous priverait du bonheur de vivre avec vous, et qui n'aurait pas duré longtemps si toutes les femmes de la colonie ressemblaient à la noble Arthénice ; sa raison, sa politesse, ses grâces et sa naissance nous auraient déterminé bien vite ; mais à vous parler franchement, le caractère de Madame Sorbin, qui va partager avec vous le pouvoir de faire les lois, nous a d'abord arrêtés, non qu'on ne la croie femme de mérite à sa façon, mais la petitesse de sa condition, qui ne va pas ordinairement sans rusticité, disent-ils...

MADAME SORBIN

Tredame ! ce petit personnage avec sa petite condition...

HERMOCRATE

Ce n'est pas moi qui parle, je vous dis ce qu'on a pensé ; on ajoute même qu'Arthénice, polie comme elle est, doit avoir bien de la peine à s'accommoder de vous.

ARTHÉNICE, *à part, à Hermocrate.*

Je ne vous conseille pas de la fâcher.

HERMOCRATE

Quant à moi, qui ne vous accuse de rien, je m'en tiens à vous dire de la part de ces messieurs que vous aurez part à tous les emplois, et que j'ai ordre d'en dresser l'acte en votre présence ; mais, voyez avant que je commence, si vous avez encore quelque chose de particulier à demander.

ARTHÉNICE

Je n'insisterai plus que sur un article.

MADAME SORBIN

Et moi de même ; il y en a un qui me déplaît, et que je retranche, c'est la gentilhommerie, je la casse pour ôter les petites conditions, plus de cette baliverne-là.

ARTHÉNICE

Comment donc, Madame Sorbin, vous supprimez les nobles ?

HERMOCRATE

J'aime assez cette suppression.

ARTHÉNICE

Vous, Hermocrate ?

HERMOCRATE

Pardon, Madame, j'ai deux petites raisons pour cela, je suis bourgeois et philosophe.

MADAME SORBIN

Vos deux raisons auront contentement ; je commande, en vertu de ma pleine puissance, que les nommées Arthénice et Sorbin soient tout un, et qu'il soit aussi beau de s'appeler Hermocrate ou Lanturlu, que Timagène ; qu'est-ce que c'est que des noms qui font des gloires ?

HERMOCRATE

En vérité, elle raisonne comme Socrate ; rendez-vous, Madame, je vais écrire.

ARTHÉNICE

Je n'y consentirai jamais ; je suis née avec un avantage que je garderai, s'il vous plaît, Madame l'artisane.

MADAME SORBIN

Eh ! allons donc, camarade, vous avez trop d'esprit pour être mijaurée.

ARTHÉNICE

Allez vous justifier de la rusticité dont on vous accuse !

MADAME SORBIN

Taisez-vous donc, il m'est avis que je vois un enfant qui pleure après son hochet.

HERMOCRATE

Doucement, Mesdames, laissons cet article-ci en litige, nous y reviendrons.

MADAME SORBIN

Dites le vôtre, Madame l'élue, la noble.

ARTHÉNICE

Il est un peu plus sensé que le vôtre, la Sorbin ; il regarde l'amour et le mariage ; toute infidélité déshonore une femme ; je veux que l'homme soit traité de même.

MADAME SORBIN

Non, cela ne vaut rien, et je l'empêche.

ARTHÉNICE

Ce que je dis ne vaut rien ?

MADAME SORBIN

Rien du tout, moins que rien.

HERMOCRATE

Je ne serais pas de votre sentiment là-dessus, Madame Sorbin ; je trouve la chose équitable, tout homme que je suis.

MADAME SORBIN

Je ne veux pas, moi ; l'homme n'est pas de notre force, je compatis à sa faiblesse, le monde lui a mis la bride sur le cou en fait de fidélité et je la lui laisse, il ne saurait aller autrement pour ce qui est de nous autres femmes, de confusion nous n'en avons pas même assez, j'en ordonne encore une dose ; plus il y en aura, plus nous serons honorables, plus on en connaîtra la grandeur de notre vertu.

ARTHÉNICE

Cette extravagante !

MADAME SORBIN

Dame, je parle en femme de petit état. Voyez-vous, nous autres petites femmes, nous ne changeons ni d'amant ni de mari, au lieu que des dames il n'en est pas de même, elles se moquent de l'ordre et font comme les hommes ; mais mon règlement les rangera.

HERMOCRATE

Que lui répondez-vous, Madame, et que faut-il que j'écrive ?

ARTHÉNICE

Eh ! le moyen de rien statuer avec cette harengère ?

SCÈNE 18

Les acteurs précédents, Timagène, Monsieur Sorbin, quelques hommes qui tiennent des armes.

TIMAGÈNE, *à Arthénice.*

Madame, on vient d'apercevoir une foule innombrable de sauvages qui descendent dans la plaine pour nous attaquer ; nous avons déjà assemblé les hommes ; hâtez-vous de votre côté d'assembler les femmes, et commandez-nous aujourd'hui avec Madame Sorbin, pour entrer en exercice des emplois militaires ; voilà des armes que nous vous apportons.

MADAME SORBIN

Moi, je vous fais le colonel de l'affaire. Les hommes seront encore capitaines jusqu'à ce que nous sachions le métier.

MONSIEUR SORBIN

Mais venez du moins batailler.

ARTHÉNICE

La brutalité de cette femme-là me dégoûte de tout, et je renonce à un projet impraticable avec elle.

MADAME SORBIN

Sa sotte gloire me raccommode avec vous autres. Viens, mon mari, je te pardonne ; va te battre, je vais à notre ménage.

TIMAGÈNE

Je me réjouis de voir l'affaire terminée. Ne vous inquiétez point, Mesdames ; allez vous mettre à l'abri de la guerre, on aura soin de vos droits dans les usages qu'on va établir.

TABLE DES MATIÈRES

Imprimé en France par

MAURY IMPRIMEUR
à Malesherbes (Loiret)
en janvier 2014

POCKET – 12, avenue d'Italie – 75627 Paris Cedex 13

N° d'impression : 186746
Dépôt légal : août 2004
Suite du premier tirage : janvier 2014
S16109/11